Dorothée Escoufier
Camille Gomy
Kim Ta Minh

COMMUNICATION PROGRESSIVE DU FRANÇAIS

Avec 350 exercices

CLE INTERNATIONAL

www.cle-inter.com

Directrice éditoriale : Béatrice Rego
Édition : Agnès Roubille
Mise en pages : AGD
Couverture : Miz'enpage
Illustrations : Conrado Giusti
Enregistrement : Pilick Production

ISBN : 978-209-038210-5

Avant-propos

Bienvenue dans la *Communication progressive du français*, niveau débutant complet !

Avec la *Communication progressive du français*, les apprenants de niveau débutant complet sont en contact direct avec des situations réelles de communication.

Les 40 fiches thématiques qui composent cet ouvrage correspondent à des actes de parole essentiels aux toutes premières interactions dans un pays francophone (se présenter, demander son chemin, donner sa nationalité, interroger sur l'identité...).

Les fiches sont regroupées en quatre parties :
- – prendre contact ;
- – parler des lieux ,
- – parler de soi ;
- – sortir.

Chaque fiche comprend :
- ☐ une page de leçon, sur la page de gauche, avec :
  - – un dialogue enregistré ou un document écrit (brochures touristiques, mails, sondages) ;
  - – un encadré *On le dit comme ça*, qui récapitule les structures les plus importantes à retenir de chaque fiche ;
  - – un point de phonétique, essentiel selon nous dès le début de l'apprentissage ;
  - – l'encadré phonétique permet d'écouter et d'observer les sons étudiés qui ont été introduits dans le dialogue ou les documents déclencheurs ;
  - – un encadré *Ça se passe comme ça*, pour un premier contact avec les cultures francophones.

- ☐ sur la page de droite, une page d'exercices :
  - – de compréhension orale et/ou écrite ;
  - – de discrimination et/ou de prononciation des sons étudiés ;
  - – de réemploi des actes de parole ;
  - – de communication écrite et orale.

Quatre bilans intermédiaires permettent à l'apprenant de faire le point sur ses acquis à l'issue de chacune des parties.

L'auto-évaluation proposée en fin d'ouvrage aide à mesurer la progression de manière autonome au fil des fiches.

Un index répertorie les actes de parole et les principales expressions associées.

Un CD-mp3 (293 pistes et 3 h d'enregistrement) séparé propose l'enregistrement des situations réelles de communication qui sont le support des leçons. En écoutant le CD, l'apprenant se familiarise avec la prononciation, l'intonation et les actes de parole. Il peut ensuite réaliser les exercices et reproduire les actes de parole à l'écrit ou à l'oral.

Les corrigés se trouvent dans un livret séparé (ISBN : 978-209-038092-7). L'étudiant peut ainsi travailler de manière autonome.

Bonne communication !

Sommaire

Prendre contact

Parler des lieux

Parler de soi

Sortir

Pour commencer

Les mois de l'année

janvier
février
mars
avril
mai
juin
juillet
août
septembre
octobre
novembre
décembre

Les jours de la semaine

lundi
mardi
mercredi
jeudi
vendredi
samedi
dimanche

1 L'alphabet

A B C D E F G H I J K L M N O P Q R S T U V W X Y Z

a b c d e f g h i j k l m n o p q r s t u v w x y z

2 Les nombres de 0 à 100

0 (zéro)			
1 (un)	2 (deux)	3 (trois)	4 (quatre)
5 (cinq)	6 (six)	7 (sept)	8 (huit)
9 (neuf)	10 (dix)	11 (onze)	12 (douze)
13 (treize)	14 (quatorze)	15 (quinze)	16 (seize)
17 (dix-sept)	18 (dix-huit)	19 (dix-neuf)	20 (vingt)

30 (trente)	40 (quarante)	50 (cinquante)	60 (soixante)
70 (soixante-dix)	80 (quatre-vingt) quatre-vingts	90 (quatre-vingt-dix)	100 (cent)
71 (soixante et onze)		91 (quatre-vingt-onze)	
72 (soixante-douze)			

Je comprends les consignes

1 Vrai ou faux ? Écoutez 🦻 et cochez ☒.   VRAI   FAUX

Marie et Paul sont belges.   ☐   ☐

2 Écoutez 🦻 et observez 👁.

Salut !   tu

3 Écoutez 🦻 et entourez le son « ou ».

Élisa dit bonj(ou)r à Lil(ou).

4 Écoutez et <u>soulignez</u> le son « s ».

Je <u>s</u>uis <u>s</u>uédois.

5 Écrivez 🖉 les formes du son « ou » : *ou*.

6 Formez des phrases.

habite / à / Montréal / Laurence → *Laurence habite à Montréal.*

7 Remettez le dialogue dans l'ordre.

– Salut Camille, comment vas-tu ?   **a**

– Ça va. Tu vas à la fête de Nico ce soir ?   **c**

– Ça va très bien et toi ?   **b**

– Je ne sais pas, j'ai beaucoup de travail.   **d**

8 Lisez et reliez.

1. Je viens   **a.** Alexandra.

2. Elle habite   **b.** de Bruxelles.

3. Elle s'appelle   **c.** à Anvers.

9 Complétez avec les mots suivants :

de - *du* - de la

Je viens *du* Portugal.

10 Lisez 📖 à voix haute 👄.

Diego est argentin, il est dentiste. Il habite à Bruxelles.

11 À vous ! 👄.

Comment vous appelez-vous ? *Je m'appelle...*

1

Saluer

Comment allez-vous ?

7 **1** – Bonjour Mme Leroux, **comment allez-vous ?**
– **Bien et vous,** Paule ?
– **Ça va bien, merci.**

8 **2** – **Salut** Julie, **tu vas bien** ?
– **Ça va, merci.**

1

2

Comment ça va ?

9 **3** – **Coucou Lucie, ça va ?**
– **Super ! Et toi ?**

10 **4** – **Bonjour Julien, comment ça va** aujourd'hui ?
– **Très bien et vous ?**

3

4

On le dit comme ça

Bonjour !	**Salut !**	**Coucou !**
Comment allez-vous ?		**Bien ! Et vous ?**
Comment ça va ?		**Ça va bien, merci.**
Tu vas bien ?		**Très bien, merci.**
Ça va ?		**Ça va. / Pas mal, merci.**
		Super ! Et toi ?

Prononcer « u »

11 **Écoutez et observez.**
« u »

Salut Julie, tu vas bien ?
Coucou Lucie ! Super ! Et toi ?

Ça se passe comme ça

En France, les amis **se font la bise** pour se dire bonjour.

Au travail, les collègues **se serrent la main.**

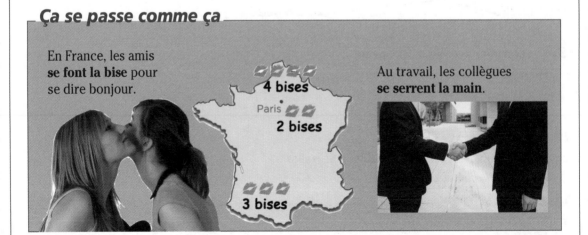

4 bises
Paris
2 bises
3 bises

2
5

1   Vrai ou faux ? Écoutez les dialogues de la leçon et cochez.

	VRAI	FAUX
1. Mme Leroux et Paule se disent bonjour.	☒	☐
2. Julie et Manon se serrent la main.	☐	☒
3. Lucie va super bien.	☒	☐
4. Julien et Arthur se font la bise.	☐	☒

6

2   Écoutez et soulignez le son « u ».

Exemple : Sal<u>u</u>t !

1. Bonjour !   **2.** Sal<u>u</u>t !   **3.** Coucou !

4. Sal<u>u</u>t Julie, t<u>u</u> vas bien ?   **5.** Bonjour, comment allez-vous ?   **6.** S<u>u</u>per !

Comment s'écrit le son « u » ? ....

3   Observez les images et cochez la bonne réponse.

Exemple :

1.

☒ *Coucou les filles !*
☐ *Bonjour madame, enchantée !*

2.

☒ Bonjour M. Verdier !
☐ Salut Marie !

3.

☒ Salut Claire, ça va ?
☐ Bonjour madame, comment allez-vous ?

4.

☒ Salut Juliette, tu vas bien ?
☐ Bonjour madame Petat !

4   Replacez les expressions dans les dialogues.

Ça va merci. – *Tu vas bien* – Bien et vous – Comment allez-vous

Exemple : – Salut Élisa ! Tu vas bien ?
           – Super ! Merci.

1. – Bonjour Mme Dufour ! Comment allez-vous   ?
     – Très bien merci.

2. – Coucou Rose ! Comment ça va ?
     – Ça va merci   .

3. – Bonjour M. Moulin ! Comment allez-vous ?
     – Bien et vous   ?

2 Se présenter (1)

 Je suis Jérôme Jourdan

– Bonjour monsieur, **quel est votre nom** s'il vous plaît ?
– Bonjour madame, **je suis Jérôme Jourdan**. Mon nom est Jourdan et mon prénom est Jérôme.
– Merci monsieur. Vous pouvez **épeler** votre nom s'il vous plaît ?
– Oui, bien sûr, Jourdan, J-O-U-R-D-A-N.
– Merci monsieur, bon séjour dans notre hôtel.

On le dit comme ça

Quel est votre nom ?
Je suis Jérôme Jourdan.
Je m'appelle...
Mon nom est Jourdan.
Mon prénom est Jérôme.

Épeler c'est dire les lettres une par une :
J-O-U-R-D-A-N.

Ça se passe comme ça

Souvent, les prénoms ont des diminutifs :
Alexandre → Alex
Isabelle → Isa
Georges → Jojo
Nicolas → Nico
Véronique → Véro

Prononcer « j »

 Écoutez et observez.

Bonjour !
Je suis Jérôme Jourdan.
Bon séjour !

1 **Écoutez et remettez dans l'ordre le dialogue de la leçon.**

– Merci monsieur, vous pouvez épeler votre nom s'il vous plaît ? (2)

– Bonjour madame, je suis Jérôme Jourdan. (1)

– Merci monsieur, bon séjour dans notre hôtel. (4)

– Oui, bien sûr, Jourdan, J-O-U-R-D-A-N. (3)

2 **Écoutez et cochez si vous entendez « j ».**

Exemple : Le premier mot est « Jules ». J'entends « j », je coche.

	1	2	3	4	5	6
« j »	X					

3 **Reliez les questions à la réponse.**

1. Quel est votre nom ?   a. Très bien, merci.

2. Quel est votre prénom ?   b. Oui, bien sûr : R-U-I-Z.

3. Comment allez-vous ?   c. Mon prénom, c'est Olivia.

4. Vous pouvez épeler votre nom s'il vous plaît ?   d. Je m'appelle Olivia Ruiz.

4 **Découpez les mots.**

Exemple : Mon / prénom / est / Lucie.

1. Vous/pouvez/épeler/votre/nom/s'il/vous/plaît ? Vous pouvez épeler votre nom s'il vous plaît?

2. Je/suis/Julien/Petit. Je suis Julien Petit.

3. Quel/est/votre/nom ? Quel est votre nom?

4. Quel/est/votre/prénom ? Quel est votre prénom?

5 **À vous ! Vous êtes à l'accueil de l'hôtel. Lisez et complétez comme dans l'exemple.**

Exemple :

– Bonjour monsieur, je m'appelle Sophie Durand.

– Bonjour madame, vous pouvez épeler votre nom, s'il vous plaît ?

– Oui, bien sûr. D-U-R-A-N-D.

– Bonjour madame, je m'appelle Erin Lee.

– Bonjour madame, vous pouvez épeler votre nom, s'il vous plaît ?

– Oui, bien sûr. L-E-E.

2 Se présenter (2)

 Enchantés !

– Bonjour !
– Bonjour, nous sommes vos nouveaux voisins !
– Bonjour, enchantés ! **Vous vous appelez comment ?**
– *(la mère)* **Moi, je m'appelle Zoé**.
– (le père) **Moi, c'est Benjamin**.
– *(la mère)* Nous avons trois enfants, un garçon et deux filles.
Le garçon s'appelle Jules, la grande fille Rose et le bébé s'appelle Louise.
– Bienvenue à tous les cinq !
– Merci, bonne journée !

On le dit comme ça

Vous vous appelez comment ?
Je m'appelle Zoé.
Moi, c'est Benjamin.
Le garçon s'appelle Jules.
Le bébé s'appelle Louise.

Prononcer « z »

 Écoutez et observez.

« z »
Voisins
Zoé
Rose / Louise
Vous vous appelez comment ?
Nous avons trois enfants.

Ça se passe comme ça

En France, en Belgique, au Québec ou en Suisse, les voisins organisent la **Fête des voisins** pour se présenter et faire connaissance.

1 Quelle est la bonne réponse ? Écoutez le dialogue de la leçon et cochez.

Exemple : Zoé et Benjamin sont les nouveaux…

☒ voisins. (neighbors) ☐ amis. ☐ collègues.

1. Zoé et Benjamin ont…

☒ trois enfants. ☐ deux enfants. ☐ un enfant.

2. Le garçon s'appelle…

☐ Julien. ☒ Jules. ☐ Louis.

3. La grande fille s'appelle…

☒ Rose. ☐ Marie. ☐ Lisa.

4. Le bébé s'appelle…

☐ Juliette. ☒ Louise. ☐ Justine.

2 Écoutez et cochez la bonne réponse.

	1	2	3	4	5	6
« z »						
« j »	X					

Comment s'écrit le son « z » ? _____

3 Écoutez les 4 dialogues et écrivez le bon numéro.

a. dialogue _3_   b. dialogue ____   c. dialogue ____   d. dialogue ____

4 Formez des phrases. Lisez ces phrases à haute voix.

Exemple : Julie. / s'appelle / Elle → Elle s'appelle Julie.

1. vous / appelez-vous ? / Comment _Comment vous appelez-vous?_
2. suis / Je / Legrand. / Nicolas _Je suis Nicolas Legrand._
3. votre / Quel / nom ? / est _Quel est votre nom?_
4. Benjamin. / Moi / c'est _Moi c'est Benjamin._

3 Donner son adresse

Quelle est votre adresse ?

 1 – **Quelle est votre adresse**, Mme Aichoune ?

– **J'habite** 20, **rue** des Pénitents Blancs.
– **Quel est votre code postal ?**
– 16000, à Angoulême.

 2 – **Quelle est votre adresse**, M. Durand ?
– **J'habite au** 38, **boulevard** Alsace-Lorraine. C'est à Toulouse.
– Le code postal ?
– C'est le 31000.

On le dit comme ça

Quelle est votre adresse ?
J'habite ... rue / avenue / boulevard... à...
Quel est votre code postal ?
C'est le 31000.

⚠ 16000 : seize **mille**
31000 : trente et un **mille**

Prononcer « qu »

 Écoutez et observez.

« qu »
Quel est votre code postal ?
Quelle est votre adresse ?

Ça se passe comme ça

Des rues aux avenues

1 Une rue à Berne
2 Une avenue à Paris
3 Un boulevard à Bruxelles
4 Une avenue à Montréal

1 **Quelle est la bonne réponse ? Écoutez le dialogue de la leçon et cochez.**

Le patient parle à :

☐ sa fille.   ☑ la secrétaire.   ☐ un ami.

Le patient donne :

☐ son nom.   ☑ son adresse.   ☐ son numéro de téléphone.

2 **Remettez le dialogue dans l'ordre.**

1. Quelle est votre adresse ? (3)

2. Merci. (5)

3. J'habite 20, rue des Pénitents Blancs. (4)

4. Quel est votre nom ? (1)

5. Aichoune. Aichoune Melissa. A-I-C-H-O-U-N-E. (2)

3 **Écoutez et répétez.**

1. Quatre.   **2.** Quarante.

3. Quelle est votre adresse ?   **4.** Quel est votre code postal ?

4 **Observez et complétez. Puis écoutez pour vérifier vos réponses.**

1. 0, 10, 20, **30**, **40**, 50, 60.   **2.** 1, 11, 21, 31 , 41 , 51 , 61.

3. 3, 6, 9, 12 , 15 , 18 , 21 , 24 , 27 , 30.   **4.** 12, 13, 14, 15 , 16 , 17 , 18 , 19 , 20.

5 **Écoutez et complétez les dialogues avec les nombres.**

1. – Alors M. Bravo, quelle est votre adresse ?
  – J'habite au 43 boulevard Alsace Lorraine.

2. – Chérie, quelle est l'adresse de l'hôtel ?
  – L'hôtel est au 71 , rue Bayard.

6 **À vous ! Répondez.**

Exemple : Quel est votre code postal ? C'est le 16000 à Angoulême.

1. – Quelle est votre adresse ?

  – J'habite au 136, rue de Montmoreau.

  – Quel est votre code postal ?

  – C'est 16000 Angoulême.

2. – Quelle est votre adresse ?

  – J'habite_____

  – Quel est votre code postal ?

  – C'est_____

4 Donner son numéro de téléphone

Édouard : 06 80 56 28 45
Julie : 06 36 18 71 46
Dévika : 05 61 94 56 83
Pascale : 01 81 12 90 68
Melissa : 07 77 88 10 34

37 Quel est ton numéro de téléphone ?

– Alors Édouard, **quel est ton numéro de téléphone ?**
– **C'est le** 06 80 euh...
– Oui ?
– C'est le... 06 80 56...
– Tu n'es pas sûr ?
– Attends... 06 80 56 euh... 28... Ah, voilà ! 06 80 56 28 45.
– 06 80 56 28 45. **C'est ça ?**
– Oui. **Et toi** Dévika ?
– 05 61 94 56 83.
– Tu peux répéter ?
– 05 61 94 56 83.
– Merci !

On le dit comme ça

Les nombres de 70 à 100 (*voir* p. 6)

71 : soixante et onze

81 : quatre-vingt-un

91 : quatre-vingt-onze

– **Quel est ton numéro de téléphone ?**

– **C'est le...**

– **C'est ça ?**

– Et toi ?

Prononcer « oi »

38 **Écoutez et observez.**

Soixante
Soixante-trois
Soixante-treize
Quatre-vingt-trois

Ça se passe comme ça

Les numéros de téléphone fixe français :

+ (33) 1 (Paris) – 46 – 34 – 56 – 48.

+ (33) 5 (sud-ouest) – 61 – 68 – 64 – 27.

Les numéros de portable français commencent par 06 ou 07.

Les numéros belges : + (33) 612345678

Les numéros suisses : + (41) 223438014

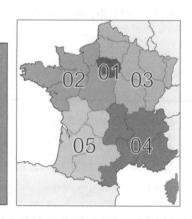

A C T I V I T É S

1 Vrai ou faux ? Écoutez le dialogue de la leçon et cochez.

	VRAI	FAUX
1. Édouard demande le numéro de Dévika.	☒	☐
2. Dévika demande le numéro d'Édouard.	☒	☐
3. Le numéro de Dévika est le 06 80 56 28 65.	☐	☒

2 Classez les mots. Puis écoutez pour vérifier vos réponses.

	👂 « oi »	👂 « oi »
Bonsoir !	X	
Au revoir !		
Je suis chinois.		
Bon appétit !		

3 Écoutez et répétez.

70 soixante-**dix**	71 soixante et **onze**	72 soixante-**douze**
80 quatre-**vingts**	81 quatre-vingt-**un**	82 quatre-vingt-**deux**
90 quatre-**vingt-dix**	91 quatre-**vingt-onze**	92 quatre-**vingt-douze**
100 **cent**	101 cent **un**	102 cent **deux**

4 Écoutez et complétez avec les nombres : 28 – *80* – 56 – 18 – 55 – 45.

1. Alors Édouard, quel est ton numéro de téléphone ?
2. C'est le 06 - *80* euh...
3. Oui ?
4. C'est... le 06 - 80 - 56...
5. Tu n'es pas sûr ?
6. Attends... 06 80 - 56 euh... 28 ...Ah, voilà ! 06 - 80 - 56 - 28 - 45.

5 Écoutez et complétez.

Julien : _05_ - _61_ - _68_ - 21 - 75
Sarah : 01 - 92 - 12 - 37 - 58
Michelle : 06 - 14 - 18 - 81 - 21
Olivier : 07 - 81 - 67 - 91 - 12
Patricia : 06 - 51 - 98 - 14 - 74

5 Donner sa nationalité

 Bonjour !

• Bonjour ! Je m'appelle Alexandre, je suis **français**.

• Elle s'appelle Justine, elle est **canadienne** !

• Il s'appelle Pierre, il est **belge**.

• Salut ! Je m'appelle Chunyan, je suis **chinoise**.

On le dit comme ça

Quelle est ta/votre nationalité ?

Je suis...	chinois.	chinoise.
Il/Elle est...	marocain.	marocaine.
	français.	française.
	canadien.	canadienne.
	malien.	malienne.
	⚠ belge.	belge.
	⚠ suisse.	suisse.

Les consonnes finales

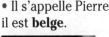 **Écoutez et observez.**

Il est	français.
Elle est	française.
Je suis	chinois.
Elle est	chinoise.

Ça se passe comme ça

On parle français :

| en France | au Mali | en Suisse | au Canada (Québec) | en Belgique | au Maroc |

5. DONNER SA NATIONALITÉ

ACTIVITÉS

1   **Vrai ou faux ? Écoutez les messages de la leçon et cochez.**

	VRAI	FAUX
1. *Alexandre est anglais.*	☐	☒
2. Justine est canadienne.	☒	☐
3. Pierre est suisse.	☐	☒
4. Chunyan est française.	☐	☒

2   **Quel mot entendez-vous ? Écoutez et cochez.**

1. ☒ *français*   ☐ française   **2.** ☐ américain   ☐ américaine
3. ☐ italien   ☐ italienne   **4.** ☐ libanais   ☐ libanaise
5. ☐ hongrois   ☐ hongroise

3   **Lisez les phrases et numérotez les drapeaux.**

1. *Xu est chinoise.*   **2.** Je suis français.   **3.** Cécile est belge.
4. Mustapha est marocain.   **5.** Je suis italienne.   **6.** Kelly est américaine.

2   4   5

6   7   3

4   **Complétez les phrases.**

1. Il est français.   Elle est *française*.   **2.** Il est suisse.   Elle est _Suisse_.
3. Il est malien.   Elle est _malienne_.   **4.** Il est anglais.   Elle est _anglaise_.
5. Il est belge.   Elle est _belge_.

5   **À vous ? Répondez.**

Quelle est votre nationalité ?   _Je suis américaine._

6 Dire son métier

 Je suis chanteur

– Qu'est-ce que tu fais comme métier ?
– **Je suis chef cuisinier**
   dans un grand restaurant.

– Et toi, quel est ton métier ?
– Et bien moi, **je suis chanteur**.
– Ah, super ! J'adore la musique !
– Et moi j'adore manger !

On le dit comme ça

– Qu'est-ce que tu fais comme métier/travail ?
– Quel est ton métier ?
Quelle est votre profession ? votre ou ta
– Qu'est-ce que tu fais dans la vie ?

Je suis...

... chanteur	une chanteuse
... ingénieur	une ingénieure
... coiffeur	une coiffeuse
... acteur ⚠	une actrice
... architecte ⚠	une architecte
... médecin ⚠	une médecin
... étudiant	une étudiante

Prononcer « un/une »

 Écoutez et observez.
         « un / une »

un écrivain   une écrivaine
un acteur   une actrice

Ça se passe comme ça

Qu'est-ce qu'ils font comme métier ?

Stromae est **chanteur**.

Amélie Nothomb
est **écrivaine**.

Mélanie Laurent
est **actrice**.

1 Vrai ou faux ? Écoutez le dialogue de la leçon et cochez.

	VRAI	FAUX
1. La 1re personne est dentiste.	☐	☒
2. La 2e personne est chanteur.	☒	☐
3. La 1re personne adore la musique.	☒	☐
4. La 2e personne adore manger.	☒	☐

2 Écoutez et répétez.

1. un   **2.** une   **3.** un acteur   **4.** une actrice

5. un écrivain   **6.** une écrivaine   **7.** un architecte

3 Quelle est la bonne réponse ? Écoutez et cochez.

1. ☒ *chanteur*   ☐ chanteuse   **2.** ☐ écrivain   ☒ écrivaine

3. ☐ acteur   ☒ actrice   **4.** ☒ coiffeur   ☐ coiffeuse

5. ☒ vendeur   ☐ vendeuse

4 Reliez les professions aux images.

1. *un professeur*

a.

2. une actrice   a.

b.

3. un coiffeur   b.

c.

4. un architecte   e.

d.

5. une chanteuse   d.

e.

A C T I V I T É S

53 **5** Quelle est la bonne réponse ? Écoutez et cochez.

1. ☐ professeur ☐ comédien ☒ *journaliste*

2. ☐ pilote ☒ vendeur ☒ joueur de tennis

3. ☐ dessinateur ☐ architecte ☒ médecin

4. ☐ boulanger ☐ acteur ☒ secrétaire

5. ☐ styliste ☐ chef cuisinier ☒ écrivain

6 Complétez le tableau.

👤	👤	👤	👤
un acteur	*une actrice*	un écrivain	une écrivaine
un chanteur	une chanteuse	un dessinateur	une dessinateuse
un journaliste	une journaliste	un comédien	une comédienne
un vendeur	une vendeuse		

7 Complétez avec les mots suivants.

| chanteur | coiffeuse | écrivain | cuisinier | actrice |

1. Je chante, je suis *chanteur*.
2. Laurent écrit des livres, il est __écrivain__.
3. Marion fait du cinéma, elle est __actrice__.
4. Alain fait la cuisine dans un restaurant, il est __cuisinier__.
5. Emma coupe ✂ les cheveux, elle est __coiffeuse__.

A C T I V I T É S

8 **Répondez aux questions.**

Exemple : – Qu'est-ce que tu fais comme métier ? (dentiste) – Je suis dentiste.

1. – Quelle est votre profession ? (écrivain)
_____ Je suis écrivaine _____

2. – Qu'est-ce que vous faites comme travail ? (actrice)
_____

3. – Qu'est-ce que tu fais comme métier ? (comptable)
_____

4 – Quelle est votre profession ? (chanteur)
_____

5. – Qu'est-ce que tu fais comme métier ? (architecte)
_____

9 **Retrouvez les professions dans la grille.**

- dentiste
- chanteuse
- professeur
- cuisinier
- coiffeuse
- médecin

10 **Complétez la fiche avec vos informations personnelles.**

Nom : _____

Prénom : _____

Nationalité : _____

Profession : _____

11 **À vous ! Qu'est-ce que vous faites comme métier ?**

Répondez.
_____

Prendre contact

7 Présenter sa famille

 54 **Là, c'est ma sœur.**

Rose présente sa famille à son amie.

– Regarde, **c'est** ma famille ! Là c'est ma sœur,
  elle s'appelle Laure, elle a 13 ans.
– Et ton frère, il s'appelle comment ?
– Il s'appelle Martin, il a 15 ans.

– Et **voici** mes parents. Ma mère
  s'appelle Agathe et **mon père** s'appelle
  Rémi.

– Et là ?
– Ce **sont mes grands-parents** !

On le dit comme ça

C'est ma famille.
Ce **sont** mes grands-parents.
Voici mes parents.

Prononcer « on »

55 **Écoutez et répétez.**

« on »

mon père   ton père
mon frère   ton frère

Ça se passe comme ça

Les Français aiment les **repas de famille.**
Le repas en famille est une tradition dans
beaucoup de pays francophones, au Québec,
par exemple, le jour de la Saint-Dominique.

1 Vrai ou faux ? Écoutez le dialogue de la leçon et cochez.

	VRAI	FAUX
Exemple : Rose présente ses collègues.	☐	☒
1. La sœur de Rose s'appelle Laure.	☒	☐
2. Laure a 13 ans.	☒	☐
3. Le frère de Rose s'appelle Arnaud.	☐	☒
4. Agathe et Rémi sont les grands-parents de Rose.	☐	☒
5. Le père de Rose s'appelle Rémi.	☒	☐

2 Voici la famille de Camille. Trouvez le bon prénom comme dans l'exemple.

Suzanne + Jean   Jacqueline + Christian

Élisabeth + Jacques

Camille   Paul   Marie

1. *La grand-mère*   **a.** Marie

2. Le grand-père C.   **b.** Paul

3. La mère e.   **c.** Jean

4. Le père f.   **d.** *Suzanne*

5. Le frère b.   **e.** Élisabeth

6. La sœur a.   **f.** Jacques

3 Observez les photos et complétez les phrases avec les mots suivants.

les parents – *le fils* – les grands-parents – la fille – la grand-mère

1. Dans la famille Leroux, je voudrais *le fils* .

2. Dans la famille Petit, je voudrais _____ .

3. Dans la famille Legros, je voudrais _____ .

4. Dans la famille Legrand, je voudrais _____ .

5. Dans la famille Lebras, je voudrais _____ .

A C T I V I T É S

4 Complétez les phrases avec *mon, ma, mes*.

*Exemple : Voici **ma** famille.*

1. Voici __mes__ parents.

2. Là, c'est moi avec __mon__ frère et __ma__ mère.

3. __Mon__ père a 35 ans.

4. __Ma__ grand-mère s'appelle Françoise.

5. __Mon__ fils a 18 ans aujourd'hui !

6. Ce sont __mes__ grands-parents.

5 Entourez la bonne réponse.

*Exemple : c'est ma / **mon** frère, il s'appelle Ludovic.*

1. Voici mon / **ma** fille, elle a 17 ans.

2. Ce sont ma / **mes** parents.

3. C'est sa / **son** fils, il a 10 ans.

4. Ce sont **ses** / sa enfants.

5. Voici **ta** / tes grand-mère, elle a 80 ans.

6. C'est **ma** / mon cousine, elle habite à Paris.

6 Écoutez et cochez si vous entendez le son « on ».

Exemple : ☒ *Oncle* ☐ *Tante* ☐ *Cousin* ☐ *Ses*

1. ☐ Rose ☐ Mes ☐ Parents ☐ On

2. ☐ Mon ☐ Ma ☐ Mes ☐ Ta

3. ☐ Florence ☐ Simon ☐ Romain ☐ Alexandre

4. ☐ Famille ☐ Sont ☐ Enfant ☐ Fille

7 Écoutez les phrases et entourez le son « on ».

1. Lé**on** a dix ans. Ses parents sont canadiens. Son père s'appelle Raymond et sa mère s'appelle Manon.

2. Mon frère s'appelle Gaston. C'est un champion de natation.

8 Écoutez et répétez.

1. C'est mon frère. **2.** C'est ma sœur. **3.** Ce sont mes parents.

4. Voici ma famille. **5.** C'est ma grand-mère. **6.** Ce sont mes grands-parents.

9 **Formez des phrases.**

Exemple : mon / C'est / fils.   C'est mon fils.

1. fille / ta / Voici _____

2. Ce / tes / sont / parents. _____

3. père. / C'est / mon_____

4. grands-parents. / sont / mes / Ce _____

10 **Antoine présente sa famille. Lisez et complétez avec les expressions suivantes :**

Voici mon père. – C'est ma sœur. – Ce sont mes grands-parents. – Voici ma mère.

Voici mon père

11 **Présentez votre famille sur votre compte Facebook.**

1. Mon père s'appelle _____

Il a_____

2. Ma mère s'appelle_____

Elle a _____

3. Mon frère_____

_____

4. Ma sœur_____

_____

5. Mon grand-père s'appelle_____

Il a _____

6. Ma grand-mère s'appelle_____

Elle a _____

Interroger sur l'identité

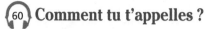 Comment tu t'appelles ?

Chez des amis québécois

– Salut ! **Comment tu t'appelles ?**
– Laurence et toi ?
– Moi, c'est Hubert.
– **Tu habites où ?**
– À Paris. Et toi, **tu habites où ?**

– J'habite à Québec.
   Quelle est ton adresse mail ?
– hubert22@yahoo.fr
– Est-ce que tu peux répéter s'il te plaît ?
– Oui, bien sûr, c'est hubert22@yahoo.fr.
– Et **quel est ton numéro de téléphone ?**
– C'est le 06 43 16 45.

On le dit comme ça

Comment tu t'appelles ?
Quel est ton prénom / ton nom ?
Tu habites où ? / Quelle est ton adresse ?
Quelle est ton adresse mail ?
Quel est ton numéro de téléphone ?

Prononcer « h »

 Écoutez et observez.

Moi, c'est Hubert.
Tu habites où ?

Ça se passe comme ça

En France, on dit « mail » mais au Québec on dit « courriel ».

1 Vrai ou faux ? Écoutez le dialogue de la leçon et cochez.

	VRAI	FAUX
1. Laurence et Hubert se rencontrent chez des amis.	☒	☐
2. Hubert habite à Bruxelles.	☐	☐
3. Laurence habite à Québec.	☐	☐
4. L'adresse mail d'Hubert est hubert@yahoo.fr	☐	☐
5. Hubert n'a pas de téléphone.	☐	☐

2 Écoutez le dialogue de la leçon et reliez.

1. Tu viens d'où ?   **a.** Laurence.

2. Comment tu t'appelles ?   **b.** hubert22@yahoo.fr

3. Tu habites où ?   **c.** C'est le 06 43 16 45.

4. Quel est ton numéro de téléphone ?   **d.** De Paris.

5. Quelle est ton adresse mail ?   **e.** À Québec.

3 Écoutez et répétez.

1. Tu habites où ?   **2.** Je suis à l'hôtel.   **3.** Moi, c'est Hubert.

4 Remettez le dialogue dans l'ordre.

1. – Oui, c'est benoit45@gmail.com. ☐   **4.** – Je m'appelle Benoît. ☐

2. – Enchanté Benoît. Tu habites à Bruxelles ? ☐   **5.** – Est-ce que tu as une adresse mail ? ☐

3. – Non, j'habite à Marseille. Je suis en vacances. ☐   **6.** – Salut ! Comment tu t'appelles ? ☒

5 Écoutez et répétez, puis répondez.

1. Comment tu t'appelles ? Je m'appelle _____ .

2. Quel est ton prénom ? Mon prénom est _____ .

3. Quelle est ton adresse mail ? Mon adresse mail est _____ .

4. Quel est ton numéro de téléphone ? Mon numéro de téléphone est le _____ .

6 Posez la bonne question.

Exemple : – Comment tu t'appelles ?   *– Je m'appelle Clémence.*

1. _____ ?   **3.** _____ ?

J'habite à Dakar.   Mon prénom est Hubert.

2. _____ ?   **4.** _____ ?

C'est le 06 32 15 46 13.   C'est nat.legrand@free.fr

9 Interroger sur la nationalité

 66 ## Quelle est ta nationalité ?
Chez des amis québécois (2)

– Et toi, **quelle est ta nationalité ?**
– Moi, je suis libanaise mais j'habite
à Genève avec Christopher.
– Ah super ! Et Christopher, **quelle
est sa nationalité ?**
– Il est danois, il vient de Copenhague.
– **Il est d'où ?**
– De Copenhague, au Danemark.
– Ah ! Et **il parle français ?**
– Oui, il parle très bien français
et danois aussi !
– Et toi ? Tu parles danois ?
– Oui, un peu ! Et anglais aussi !

On le dit comme ça

– Quelle est ta nationalité ?   Je suis libanaise.
– Quelle est sa nationalité ?   Il est danois.
– Il est d'où ?   Il est de Copenhague.
– Il parle français ?   Oui, il parle français.

Prononcer « a » et « an »

67 **Écoutez et observez.**

« a »	« an »
libanais	français
danois	anglais

Ça se passe comme ça

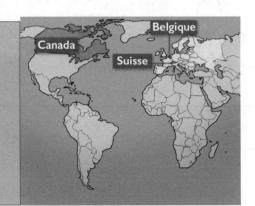

En Suisse, on parle 3 langues : le français,
l'allemand et l'italien.

En Belgique, on parle 3 langues :
le néerlandais, le français et l'allemand.

À Montréal, au Canada, on parle 2 langues :
l'anglais et le français.

A C T I V I T É S

		VRAI	FAUX
1	Vrai ou faux ? Écoutez le dialogue de la leçon et cochez.		

1. *Sophie est française.* ☐ ☒

2. Christopher est suédois. ☐ ☐

3. Sophie et Christopher habitent à Genève. ☐ ☐

4. Christopher est de Bruxelles. ☐ ☐

5. Christopher parle français et danois. ☐ ☐

6. Sophie parle danois. ☐ ☐

2 Écoutez et classez les mots.

	1	2	3	4	5	6	7
« a »	*danois*						
« an »							

3 Reliez la question à la bonne réponse.

1. Tu parles français ? ⟶ **a.** Oui, je parle français.

2. Quelle est ta nationalité ? **b.** Je suis de Stockholm.

3. Tu es d'où ? **c.** Je suis suisse.

4. Tu es de quel pays ? **d.** J'habite à Tokyo.

5. Tu habites où ? **e.** Je suis du Maroc.

4 Lisez et cochez la bonne réponse.

1. Elle est d'où?
☐ Elle est espagnole.
☒ Elle est de Montréal.
☐ Elle parle trois langues.

2. Elle habite où ?
☐ Elle est mexicaine.
☒ Elle habite à Lausanne.
☐ Elle parle allemand.

3. Quelle est sa nationalité ?
☐ Il parle anglais.
☐ Il habite à Paris.
☒ Il est français.

4. Elle s'appelle comment ?
☐ 30, rue de la Vivaraise.
☒ Elle s'appelle Laure.
☐ Elle est du Luxembourg.

5 Trouvez les questions du dialogue.

Exemple : – Salut ! Comment tu t'appelles ?
– Je m'appelle Rose.

1. _____

Je suis marocaine.

2. _____

De Casablanca.

3. _____

Oui, je parle espagnol.

S'excuser (1)

 1 Désolé !

– **Oh pardon,** madame ! **Je suis vraiment
désolé !**
– **Je vous en prie ! Ce n'est pas grave !**

71 2 Vous pouvez répéter s'il vous plaît ?

– Bonjour madame, c'est pour une réservation.
– Oui, quel est votre nom, s'il vous plaît ?
– Dumay.
– **Excusez-moi, je n'ai pas compris,
vous pouvez répéter s'il vous plaît ?**

On le dit comme ça

Oh, pardon madame ! / **Excusez-moi !**
Je suis vraiment désolé !
Je vous en prie ! Ce n'est pas grave !

Vous pouvez répéter s'il vous plaît ?
Je n'ai pas compris !

Prononcer « v »

72 **Écoutez et observez.**

« v »

vraiment	réservation
vieille	votre
vous	pouvez
grave	

Ça se passe comme ça

Pour vous excuser, vous pouvez
envoyer un bouquet de fleurs.

ACTIVITÉS

1   **Vrai ou faux ? Écoutez les dialogues de la leçon et cochez.**

	VRAI	FAUX
Dialogue 1		
1. *Simon fait tomber un enfant dans la rue.*	☐	☒
2. La femme est en colère.	☐	☐
Dialogue 2		
3. Le client appelle pour faire une réservation.	☒	☐
4. L'hôtesse a bien compris le nom du client.	☐	☒

2   **Écoutez et répétez.**

1. Vous   2. Vraiment   3. Réservation   4. Pouvez   5. Ce n'est pas grave !

3   **Complétez les dialogues avec les expressions suivantes :**

Désolé – Ce n'est pas grave. – Je vous en prie. – Je n'ai pas compris. – Excusez-moi.

1. – Allô Martin ! Salut c'est Paul. __*Désolé*_____ je suis en retard, il n'y a pas de métro.

    – _Ce n'est pas grave_ Martin ! J'attends.

2 – _____Excusez-moi_____ madame, je suis désolé.

    – Je vous ___en prie_____ !

3. – Excusez-moi madame ! _Je n'ai pas compris_____ . Vous pouvez répéter s'il vous plaît ?

4   **Qu'est-ce qu'ils disent ? Complétez.**

1.

2.

10

S'excuser (2)

Tu peux m'expliquer s'il te plaît ?

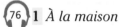 **1** *À la maison*
– Maman, **je ne comprends pas**.
…Tu peux m'expliquer s'il te plaît ?
– Non, **je regrette** ! Je suis très occupée !

 **2** *Réunion de travail*
– Oh, excusez-moi, je suis en retard !
– **Ce n'est rien** monsieur Billion.

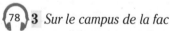 **3** *Sur le campus de la fac*
– Salut Pierre ! Tu viens à la fête de Maria ce soir ?
– **Je ne sais pas**. J'ai beaucoup de travail !

On le dit comme ça

Je ne comprends pas.

Je regrette !

Ce n'est rien !

Je ne sais pas.

⚠ Dans la langue courante vous entendez souvent :

C'est rien ! et non Ce n'est rien !

Je sais pas et non Je ne sais pas.

A C T I V I T É S

1   Vrai ou faux ? Écoutez les dialogues de la leçon et cochez.

	VRAI	FAUX
1. *Juliette parle à son papa.*	☐	☒
2. La maman de Juliette est très occupée.	☒	☐
3. Monsieur Billion est en retard.	☒	☐
4. Pierre a beaucoup de travail.	☒	☐
5. C'est sûr, Pierre va à la fête de Maria.	☐	☒

2   Écoutez et écrivez le numéro du message sous l'image correspondante.

a. _____3_____

b. _____5_____

c. _____1_____

d. _____4_____

e. _____2_____

3   Lisez et complétez.

1. Il y a une fête chez Lucas samedi soir mais Élisa a beaucoup de travail.
Marie demande :
Tu vas à la fête de Lucas ?
Élisa ne sait pas, qu'est-ce qu'elle dit ?

Je ne sais pas. J'ai beaucoup de travail.

2. Vous êtes en retard à la réunion. Vous vous excusez.
Qu'est ce que vous dites ?   Excusez-moi. Je suis en retard!

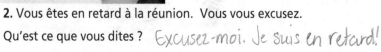

Tutoyer ou vouvoyer

 1 Entre amis
– Rose, **tu** veux de la salade ?
– Oui, je veux bien s'il **te** plaît.
– Et **toi** Paul, **tu** veux du fromage ?
– Oui, avec plaisir. Merci !

 2 Dans la rue
– Excusez-moi monsieur, **vous** avez l'heure s'il **vous** plaît ?
– Oui, il est 9 heures.
– Merci monsieur !
– Je **vous** en prie ! *(you're welcome)*

 3 À l'université / En cours
– Monsieur ! Je ne comprends pas, **vous** pouvez expliquer cette situation s'il **vous** plaît ?
– Oui bien sûr ! Regardez ! **Vous** comprenez maintenant ?
– Oui, monsieur, merci pour **votre** aide.

On le dit comme ça

Entre amis
– Rose, **tu** veux de la salade ?

Dans la rue
– Excusez-moi monsieur, **vous** avez l'heure s'il **vous** plaît ?

À un professeur
– Monsieur, **vous** pouvez expliquer cette situation s'il **vous** plaît ?

Prononcer « u » et « ou »

 Écoutez et observez.

« u »	« ou »
tu	vous
rue	pouvez
excusez-moi	pour

Ça se passe comme ça

En France, les étudiants disent généralement « vous » à leur professeur. Mais, au Québec par exemple, les étudiants disent facilement « tu » à leur professeur.

1 Vrai ou faux ? Écoutez les dialogues de la leçon et cochez.

	VRAI	FAUX
1. Rose et Paul sont amis.	☒	☐
2. Dans la rue je dis « tu » à un inconnu.	☐	☒
3. À l'université, Laure dit « tu » à son professeur.	☐	☒

2 Écoutez et cochez «u » ou « ou ».

« u »	1	2	3	4	5	6
« ou »	X					

3 Écoutez et répétez.

1. avenue   **2.** route   **3.** salut

4. nous   **5.** vu   **6.** tout

4 Reliez les phrases à l'image correspondante.

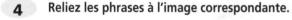

1. *Vous pouvez répéter monsieur s'il vous plaît ?*   **a.**

2. Papa, tu peux jouer de la guitare ? a.

   **b.**

3. Muriel, tu vas à la fête de Luca ce soir ? c.   **c.**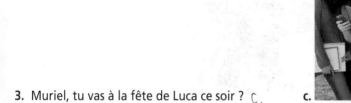

4. Bonjour monsieur, quel est votre nom ? e.   **d.**

5. Je vous remercie Docteur, à bientôt. d.   **e.**

ACTIVITÉS

5 Lisez et reliez.

1. *Salut Paul,*
2. Excusez-moi monsieur, *a.*
3. Vous *c.*
4. Tu *f.*
5. Je *e.*
6. Je vous remercie, *d.*

a. vous avez l'heure s'il vous plaît ?
b. *tu vas bien ?*
c. comprenez maintenant ?
d. Docteur.
e. vous en prie !
f. veux du fromage, Rémi ?

6 Complétez les bulles avec « tu » ou « vous ».

1. *Deux amies.*

– Salut Laura ! *Tu* vas bien ?

– Oui, pourquoi ?

– Ça va merci. *Tu* vas à la fête de Marin ce soir ?

– _____ peux m'emmener en voiture s'il te plaît ?

2. *Un professeur et une élève.*

– Madame ! Je ne comprends pas cet exercice, *vous* pouvez m'aider s'il *vous* plaît ?

– Je *vous* remercie madame.

– Oui, bien sûr Juliette !

7 Complétez par « tu » ou par « vous ».

1. ___*Tu*___ vas bien ?
2. __*Vous*__ avez l'heure s'il __*vous*__ plaît ?
3. __*Vous*__ allez bien ?
4. __*Tu*__ veux du fromage ?
5. __*Vous*__ comprenez maintenant ?

8 À vous !

1. Vous êtes dans la rue, vous demandez l'heure.

– Excusez-moi monsieur, _vous avez l'heure_
s'il vous plaît?

2. Vous dînez entre amis, vous proposez à Mathieu du dessert.

– Mathieu, _tu veux de dessert?_

3. Vous n'avez pas compris, vous demandez à votre professeur de répéter.

– Monsieur ! _Je ne comprends pas, vous pourez_
expliquer cette situation s'il vous plaît ?

1 Entourez 3 expressions de salutation.

S	V	Ç	O	M	T	N	R
A	S	L	A	U	B	M	R
L	C	U	Z	V	R	P	C
U	O	A	B	E	A	Y	K
T	U	V	D	O	P	B	O
I	C	H	S	M	R	E	Q
B	O	N	J	O	U	R	G
L	U	A	T	L	F	V	X

2 Faites des phrases.

1. Lucile. / je/ m'appelle / Enchantée,
   Enchantée, je m'appelle Lucile.

2. nom / Bonnavion. / Mon / est
   Mon nom est Bonnavion.

3. votre / est / prénom ? / Quel
   Quel est votre prénom ?

4. s'il vous plaît ? / Vous / épeler / pouvez /nom / votre
   Vous pouvez épeler votre nom, s'il vous plaît ?

3 Quelle est la bonne réponse ? Écoutez les adresses et notez le numéro de la maison.

1. 40 Rue ve 69000   2. 36 Avenue Victor Hugo   3. 15 Boulevard à Respo Paris   4. 92 34 000

4 Écoutez et cochez la bonne réponse.

1. Le numéro de téléphone de David est le :
☒ 06-12-34-45-11   ☐ 06-12-34-45-21

2. Le numéro de téléphone de Lucas est le :
☐ 04-77-45-20-71   ☒ 04-77-45-21-71

3. Le numéro de téléphone de Frances est le :
☐ 01-45-31-33-20   ☒ 01-45-31-33-21

4. Le numéro de téléphone d'Alex est le :
☐ 02-38-20-78-12   ☒ 02-38-20-77-12

5 Complétez avec les nationalités suivantes et faites une phrase :

Suisse – Canadienne – Belge – Malienne.

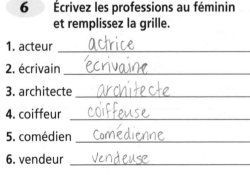

Malienne   Suisse   Belge   Canadienne

6 Écrivez les professions au féminin et remplissez la grille.

1. acteur   actrice
2. écrivain   écrivaine
3. architecte   architecte
4. coiffeur   coiffeuse
5. comédien   Comédienne
6. vendeur   vendeuse

Grille :
- 1 ↓ ACTRICE
- 2 ↓ ÉCRIVAINE... / COMÉDIENNE
- 3 → ARCHITECTE
- 5/4 → COIFFEUSE
- 6 ↓ VENDEUSE

7 Observez les images et complétez.

1.

Voici _la grand-mère_

2.

C'est _grand-père_

3.

C'est _la mère_

4.

Voici _le père_

8 Reliez les questions à la réponse.

1. Comment tu t'appelles ? c.
2. Quelle est ton adresse ? e.
3. Quelle est ton adresse mail ? a.
4. Quel est ton numéro de téléphone ? b.
5. Tu viens d'où ? d.

a. simon42@gmail.com.
b. 06-81-14-26-44.
c. Laurence Lebras.
d. Du Luxembourg.
e. 15, rue Jean Moulin 69000 Lyon.

9 Lisez les réponses et trouvez les questions.

1. _____ ?
Je viens du Mexique.

2. _Quelle est ta nationalité_ ?
Je suis chinoise.

3. _Il parle français?_ .
Oui, il parle français.

4. _Tu habites où_ ?
J'habite à Casablanca au Maroc.

10 Vous vous excusez, complétez les bulles.

11 *Tu* ou *Vous* ? Complétez.

1. _Vous_ avez l'heure s'il vous plaît monsieur ?

2. Paul, _tu_ veux du fromage ?

3. Je n'ai pas compris, _vous_ pouvez expliquer s'il _vous_ plaît madame ?

4. Papa, _tu_ peux jouer du piano pour moi s'il te plaît ?

12 Demander son chemin (1)

 1 Je cherche la gare

– Pardon madame, **je cherche** la gare de Lyon-Perrache s'il vous plaît ?
– Ah oui, c'est tout près ! **Vous traversez** et **vous tournez à droite**, la gare est **devant** vous.
– Merci madame.

 2 Pour aller place Bellecourt ?

– Excusez-moi monsieur, **pour aller** place Bellecourt s'il vous plaît ?
– C'est **à côté** ! **Vous continuez tout droit** et vous êtes place Bellecourt.

On le dit comme ça

Pardon madame, **je cherche** la gare de Lyon-Perrache s'il vous plaît ?

Excusez-moi, **pour aller** place Bellecourt s'il vous plaît ?

Vous traversez...

Vous tournez à droite/à gauche.

Vous continuez tout droit.

La gare est **devant** vous. C'est **à côté**.

Prononcer « é »

 Écoutez et observez.

« é »
à côté
pour aller
vous traversez

Ça se passe comme ça

En France, les centres villes sont souvent réservés aux piétons.

La place de la Comédie à Montpellier est piétonne.

A C T I V I T É S

1 Vrai ou faux ? Écoutez les dialogues de la leçon et cochez.

Dialogue 1   VRAI   FAUX

1. *La personne cherche la gare Montparnasse.*   ☐   ☒

2. La gare est tout près.   ☒   ☐

3. La personne doit traverser et tourner à gauche.   ☐   ☒

Dialogue 2

1. La personne cherche le cinéma.   ☐   ☒

2. La personne doit continuer tout droit.   ☒   ☐

2 Écoutez et soulignez le son « é ». Puis complétez.

1. cinéma   **2.** à côté   **3.** cherche

4. deuxième   **5.** aller   **6.** tournez

Le son « é » s'écrit _____

3 Écoutez et répétez.

1. Vous traversez.   **2.** Tournez à droite.   **3.** Continuez tout droit.

4. Comment aller place Bellecourt ?   **5.** C'est à côté.   **6.** La gare est devant vous.

4 Complétez le dialogue avec les mots suivants.

cherche	tournez	traversez	tout droit	pour aller	devant

1. Pardon madame, je _*cherche*_____ la gare de Bruxelles-Midi s'il vous plaît ?

2. Oui, c'est tout près ! Vous _traversez_ et vous _tournez_ à droite, la gare est _devant_ vous.

3. Merci madame, _pour aller_ place du Peuple s'il vous plaît ?

4. Vous continuez _tout droit_ , la place du Peuple est à 5 minutes !

5 À vous !

Vous êtes rue du Cardinal Mercier. Vous cherchez la gare de Bruxelles-Central.

1. Demandez votre chemin.

– *Pardon monsieur, je* cherche la gare de Bruxelles-Central, s'il vou plait ?

_____

2. Indiquez le chemin et remettez les expressions dans l'ordre.

☐ la gare est sur votre droite.   ☐ tournez à droite,

☐ Continuez tout droit,

12 Demander son chemin (2)

Les Galeries Lafayette s'il vous plaît ?

 – Excusez-moi monsieur, **où se trouve**
le magasin *Les Galeries Lafayette*
s'il vous plaît ?
– **Vous prenez la première** rue à droite…
– **C'est bien dans cette direction ?**
– Oui, **vous traversez** l'avenue Voltaire.
C'est **le deuxième** magasin, juste
à côté de la poste.
– **Derrière** le théâtre ?
– Oui, c'est ça !

On le dit comme ça

Où se trouve le magasin *Le Printemps* ?
C'est bien dans cette direction ?
Vous prenez la première rue à droite.
C'est **le deuxième** magasin.
Derrière le théâtre ?

Prononcer « è »

 Écoutez et observez.
« é »
deuxième
première
derrière

Ça se passe comme ça

À Paris : les grands magasins
Le Printemps, Les Galeries Lafayette.

À Bruxelles : *City 2.*

À Genève : *Planète Charmilles.*

À Montréal : le centre *Eaton.*

1 Vrai ou faux ? Écoutez le dialogue de la leçon et cochez.

	VRAI	FAUX
1. *La personne cherche le cinéma.*	☐	☒
2. C'est la première rue à droite.	☒	☐
3. La personne doit traverser l'avenue Voltaire.	☒	☐
4. C'est le premier magasin.	☐	☒
5. Le magasin *Les Galeries Lafayette* se trouve devant la poste.	☐	☒
6. Le magasin se trouve derrière le théâtre.	☒	☐

2 Observez et reliez.

1. *C'est la première rue à droite.*

a.

b.

2. Vous tournez à gauche. e.

3. Vous continuez tout droit. b.

c.

d.

4. Vous traversez l'avenue. a.

5. La gare est devant vous. d.

e.

3 À vous !

Vous cherchez le centre commercial *Planète Charmilles* à Genève. Vous êtes rue Daubin.

Suivez les flèches et indiquez le chemin :

Vous tournez à gauche
Vous traversez le Rue de Lyon tout droit
Vous tournez à gauche et la gare est devant vous.

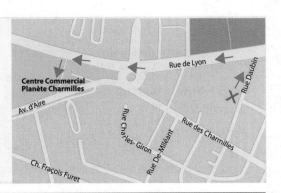

Dire où l'on est (1)

Je suis à Québec

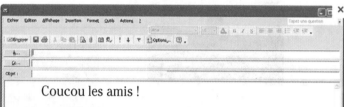

Coucou les amis !

Je suis à Québec **! J'habite au sud** de la ville **dans** le quartier Montcalm **entre** la maison verte et la maison jaune. Au **nord**, **il y a** le lac Saint-Jean. Le fleuve Saint-Laurent est **à l'est** et Montréal est **à l'ouest**.

huge river

On le dit comme ça

Je **suis à** Québec / à Paris.

C'est au nord / au sud / à l'est / à l'ouest.

J'habite au sud de la ville **dans** le quartier Montcalm **entre** la maison verte et la maison jaune.   ↳*between*

Il y a le lac Saint-Jean.

Prononcer « r »

 **Écoutez et observez.**

« **r** »

Paris

j'arrive

entre

Ça se passe comme ça

Le **carnaval de Québec** a lieu chaque année en hiver.

Il y a des sculptures en glace, comme Don Quichotte.

A C T I V I T É S

1 Vrai ou faux ? Lisez le mail de Vincent p. 46 et cochez.

	VRAI	FAUX
1. Vincent est à Strasbourg.	☐	☒
2. Vincent habite au sud de la ville.	☒	☐
3. Il habite dans le quartier des Rivières.	☐	☒
4. Au nord de la ville il y a le lac Saint-Jean.	☒	☐
5. Montréal est au nord.	☐	☒

2 Écoutez et soulignez le son « r ».

1. qua_r_tier   **2.** ce   **3.** marché   **4.** Montréal

5. nord   **6.** vers   **7.** j'arrive   **8.** elle

Écrivez les formes du son « r » : _1, 3, 4, 5, 6, 7_

3 Écoutez les messages et indiquez le bon numéro sous l'image.

a _2_

b _5_

c ___

d ___

e _1_

f ___

4 Observez la carte de France et complétez les phrases
avec les mots suivants : sud – nord – est – ouest

En France,

1. Paris est au _nord_ .

2. Montpellier est au _sud_ .

3. Strasbourg est à l' _est_ .

4. Nantes est à l' _ouest_ .

Strasbourg

Paris

Nantes

Montpellier

Dire où l'on est (2)

 Vous êtes où ?

– Allô Camille ? C'est Laurence.
  Je suis à Paris avec Tom !
– Ah super ! Vous êtes où ?

→ toward

– Nous sommes **vers** l'Hôtel de Ville.
– Ah oui, d'accord ! Attendez-moi là, **sur** la place
  de l'Hôtel de Ville **à côté du** métro ! J'arrive !
– À tout de suite !

↳ I'm coming

↓ (optional)   ↳ right away

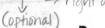

On le dit comme ça

Je **suis à** Paris.
Je suis **vers** l'Hôtel de Ville.
Attendez-moi **sur** la place / **à côté
du** métro.

Prononcer « l »

 **Écoutez et observez.**

« l »
la
place
l'est
ville

Ça se passe comme ça

En juin c'est la **Fête de la musique**
en France, en Belgique, en Suisse, au Québec.

A C T I V I T É S

1 Vrai ou faux ? Écoutez le dialogue de la leçon et cochez.

	VRAI	FAUX
1. *Laurence est à Lausanne.*	☐	☒
2. Laurence est avec Tom.	☒	☐
3. Laurence et Tom sont vers l'Hôtel de Ville.	☒	☐
4. Ils attendent Camille sur la place des Pères.	☐	☒
5. Ils attendent Camille à côté du cinéma.	☐	☒

2 Écoutez et soulignez le son « l ».

1. Les   **2.** lac   **3.** Laurence   **4.** Montréal

5. Hôtel   **6.** ville   **7.** fleuve   **8.** l'ouest

Écrivez les formes du son « l » : _____

3 « r » ou « l » ? Écoutez et cochez la bonne réponse.

	1	2	3	4	5	6
« r »	x			X		X
« l »		X	X		X	

4 Reliez pour faire une phrase.

1. *J'habite dans le*   **a.** métro.

2. Il est à côté du   a.   **b.** *quartier Montcalm.*

3. Attendez-moi sur   f.   **c.** Québec.

4. Je suis à   c.   **d.** l'ouest du Canada.

5. Montréal est à   d.   **e.** la France.

6. Lille est au nord de   e.   **f.** la place du marché.

5 Formez des phrases.

Exemple : Québec. / suis / à / Je → Je suis à Québec.

1. sommes / Nous / vers / l'Hôtel de Ville. Nous sommes vers l'Hôtel de Ville

2. au / J'habite / ville. / de la / sud J'habite au sud de la ville

3. l'ouest. / Montréal / est / à Montréal est à l'ouest

4. sur / place / la / marché. / est / Elle / du Elle est sur la place du marché

5. à côté du / habite / Il / métro. Il habite à côté du métro

14

Dire où l'on va

 Moi, je vais au cinéma !

– Ah salut Olivier ! Tu **vas** où ?
– Salut Élodie ! Je vais **à l'**aéroport.
   Je vais **à** Marseille !
– Super ! Tu vas **à la** plage ?
– Oui, mais je vais aussi **au** musée !
   Le nouveau musée des Civilisations
   de l'Europe et de la Méditerranée !
   Et toi, tu vas où ?
– Moi, je vais **au** cinéma ! Bon voyage !

On le dit comme ça

Tu vas où ?
– Je vais **à l'**aéroport.
– Je vais **à** Marseille.
– Tu vas **à la** plage ?
– Je vais **au** musée.
– Je vais **au** cinéma.

⚠ à + le = au

Prononcer « o »

Écoutez et observez.

« o »

Salut Olivier !   Salut Élodie !
Je vais à l'aéroport.
Je vais **au** musée.
Le nouv**eau** musée.

Ça se passe comme ça

Marseille est au sud de la France au bord de
la mer Méditerranée. C'est la deuxième ville
de France après Paris !

À Marseille, il y a le MuCEM.
C'est le nouveau musée des
Civilisations de l'Europe.

ACTIVITÉS

1 Quelle est la bonne réponse ? Écoutez le dialogue de la leçon et cochez.

1.

☒ *Olivier va à l'aéroport.*

☐ Olivier va à la gare.

☐ Olivier va à la station de métro.

3.

☐ Olivier va à la montagne.

☒ Olivier va à la plage.

☐ Olivier va à l'université.

2.

☐ Olivier va à Nice.

☐ Olivier va à Montpellier.

☒ Olivier va à Marseille.

4.

☒ Olivier va au musée.

☐ Olivier va au théâtre.

☐ Olivier va à la piscine.

2 Écoutez et entourez le son « o ».

1. bibli(o)thèque
2. Nic(o)
3. (O)livier
4. rest(au)rant
5. aér(o)port
6. (au)
7. nouv(eau)
8. Él(o)die

Écrivez les formes du son « o » : _____

3 Écoutez les messages et écrivez le bon numéro sous les images.

a. ___4___ b. ___3___ c. ___1___ d. ___2___

4 Entourez la bonne réponse.

Exemple : Il va (à la)/ au mer.

1. Je vais à l'/(au) cinéma.
2. Je vais (à)/ à la Paris.
3. Tu vas à l'/(au) musée.
4. Elle va au /(à) l'aéroport.
5. Tu vas (à la)/ à l' montagne.
6. Il va au /(à) Montpellier.

5 Répondez aux questions.

Exemple : Où va Romain ? → (la gare) → Romain va à la gare.

1. Où va Véronique ?

   (le restaurant) *Véronique va au restaurant*

2. Salut Maxime, tu vas où ?

   (l'université) *Je vais à l'université*

3. Où va Basile ?

   (la poste) *Basile va à la poste*

4. Où va Agathe ?

   (Marseille) *Agathe va à Marseille*

15 Interroger sur une origine (1)

Parler des lieux

Bonjour madame, d'où vient... ?

 1 – Bonjour madame, **d'où vient le train** à destination de Barcelone ?
– Le TGV 623 à destination de Barcelone **vient de** Montpellier.
– Merci madame.

 → Train à Grande Vitesse (high speed)

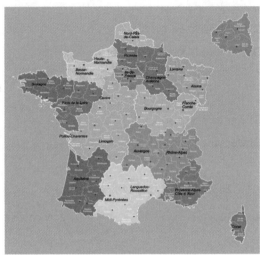

2 – Hum, **d'où vient le fromage** ? Il est délicieux !
– Le fromage vient **d'**Auvergne. C'est du bleu **d'**Auvergne.
– Ah d'accord ! Et **d'où vient le vin** ?
– Le vin vient **de la** région de Bordeaux.

On le dit comme ça

D'où vient le train ?
– Le train **vient de** Montpellier.
– Le fromage d'Auvergne, **de la** région de...

Prononcer « in »

 Écoutez et observez.
« in »
D'où vient le tra**in** ?
le v**in**
Am**ien**s
Mart**in**

Ça se passe comme ça

L'Auvergne est une région de volcans située dans le Massif Central.
Les fromages comme le Saint-Nectaire, le Cantal, le bleu d'Auvergne, le Salers, viennent d'Auvergne.

1 Quelle est la bonne réponse ? Écoutez les dialogues de la leçon et cochez.

Dialogue 1

☐ Le train vient de Toulouse.

☒ Le train vient de Montpellier.

☐ Le train vient d'Arles.

Dialogue 2

1.

☐ Le fromage vient de Bourgogne.

☐ Le fromage vient de Provence.

☒ Le fromage vient d'Auvergne.

2.

☒ Le vin vient de la région de Bordeaux.

☐ Le vin vient de la région de Dijon.

☐ Le vin vient de la région de Marseille.

2 Écoutez et entourez le son « in ».

1. tra(in)   **2.** Mart(in)   **3.** vi(en)t   **4.** v(in)   **5.** Roma(in)   **6.** Qu(i)mper

Écrivez le son « in » : _____

3 Écoutez et répétez.

1. D'où vient le train ?   **2.** Le train vient d'Amiens.   **3.** D'où vient Martin ?

4. Martin vient de Quimper.   **5.** D'où vient le vin ?   **6.** Le vin vient du Limousin.

4 Écoutez et écrivez le bon numéro sous les images.

a.   _2_

c.   _3_

b.   _4_

d.   _1_

15 Interroger sur une origine (2)

Parler des lieux

Je viens de Montréal et vous ?

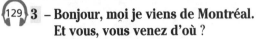

3 – Bonjour, moi je viens de Montréal.
Et vous, **vous venez d'où** ?
– Moi, **je viens de** Toronto.
– Et vous ? **Vous êtes d'où** ?
– Je suis **du nord** de la France, d'Amiens
et Laure **vient de l'ouest** de la France.

– Nous, **nous venons de** Lausanne
en Suisse.

On le dit comme ça

Vous venez d'où ? Vous êtes d'où ?

– Je **viens de** Toronto / de Lausanne.

– Je suis **du nord** de la France. / Laure **vient**
de l'ouest de la France.

– **Nous venons de** Lausanne en Suisse.

– Audrey et Cécile viennent de Lausanne.

Ça se passe comme ça

Est-ce que vous aimez le fromage ?

Le gruyère est le fromage le plus célèbre
dans le monde. Il vient de Suisse.

1 Quelle est la bonne réponse ? Écoutez le dialogue de la leçon et cochez.

1.

☐ Romain vient de Montréal.

☐ Romain vient de Paris.

☐ Romain vient de Bruxelles.

2.

☐ Martin vient de Lyon.

☐ Martin vient de Dakar.

☐ Martin vient de Toronto.

3.

☐ Alain vient du nord de la France.

☐ Alain vient du sud de la France.

☐ Alain vient de l'est de la France.

4.

☐ Cécile et Audrey viennent de Lausanne en Suisse.

☐ Cécile et Audrey viennent de Belgique.

☐ Cécile et Audrey viennent de Côte d'Ivoire.

2 Posez la bonne question.

Exemple : D'où vient Alain ? Alain vient du marché.

1. _____ ? Je viens du Luxembourg.

2. _____ ? Je suis de Casablanca.

3. _____ ? Nous venons d'Anvers en Belgique.

4. _____ ? Paul et Marie viennent de Lille.

5. _____ ? Le bus vient de la gare.

6. _____ ? Nous venons de Berlin.

3 Cochez la bonne réponse.

1. *Je viens*   ☒ *du*

          ☐ de la   *nord de la France.*

          ☐ de

2. Jeanne vient   ☐ de

          ☐ de la   Paris.

          ☐ du

3. Le bus vient   ☐ de la

          ☐ du   gare.

          ☐ de

4. Le gruyère vient   ☐ du

          ☐ de l'   Suisse.

          ☐ de

4 Lisez et entourez la bonne réponse. Puis écoutez pour vérifier.

1. Le tram vient (de la) / du gare Montparnasse.

2. Je viens de / du Nantes.

3. Le vin blanc vient de / de la région de Marseille.

4. Roberto et Pablo viennent de / du Madrid.

5. Nous venons d' / de l' Amiens.

6. Le bus vient de / de l' aéroport.

7. Le Cantal vient de / d' Auvergne.

16 Situer un objet

Où elle est ?

 1 *À la bibliothèque universitaire*
- Anna, tu me passes la calculatrice s'il te plaît ?
- Ah, euh... **Où elle est ?**
- **Là ! Sous ton livre.**
- Bien sûr. **La voilà.**
- Merci !

 2 *À la cafétéria*
- Alors Julien, les vacances ?
- Je vais à Prague. C'est magnifique ! Regarde les photos sur mon téléphone... Mais **où est-il ?**
- **Là ! Sur la chaise.**

3 *Au bureau*
- Jean-Michel, où est le stylo ?
- Il n'est pas dans le tiroir ?
- Non.
- Il est peut-être **sur la table.** Il n'est pas **derrière l'ordinateur**, là ?
- Ah oui ! Je vois.

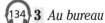

On le dit comme ça

Où est le stylo ? Le voilà.

Où est la calculatrice ? La voilà.

Le stylo est **là, sous/sur** la table.

Le stylo est **derrière** le livre.

Prononcer « je » / « ge »

 Écoutez et observez.

« je » / « ge »

Je vais à Prague.

Je vais à la plage.

Je mange des spaghettis.

Ça se passe comme ça

Les claviers
En France et en Belgique, les claviers commencent par AZERTY et non par QWERTY. Le Québec a son clavier QWERTY adapté, « le clavier québécois normalisé ! »

ACTIVITÉS

1 Écoutez les dialogues de la leçon et cochez la bonne réponse.

1. Prague est une ville magnifique.   dialogue 1 ☐   dialogue 2 ☒   dialogue 3 ☐

2. Il y a un stylo derrière l'ordinateur.   dialogue 1 ☐   dialogue 2 ☐   dialogue 3 ☐

3. La calculatrice est sous le livre.   dialogue 1 ☐   dialogue 2 ☐   dialogue 3 ☐

2 Qu'est-ce que vous entendez ? Écoutez et cochez.

	👂 « je, ge »	👂 « je, ge »
Exemple : Je suis là.	X	
1.		
2.		
3.		

3 Observez et complétez.

1. Le livre est _____ le bureau et _____ l'ordinateur.

2. L'ordinateur est _____ le livre.

3. Le stylo est _____ l'ordinateur.

4. La calculatrice est _____ la chaise.

5. Le téléphone est _____ la chaise.

Dans   Sur   Sous

Devant   Derrière

4 Posez la question et répondez.

Exemple : Le stylo.   *Où est le stylo ? Devant l'ordinateur. Le voilà.*

1. Le livre.

_____

_____

2. L'ordinateur.

_____

_____

3. La calculatrice.

_____

_____

4. Le téléphone portable.

_____

_____

5 À vous ! Situez les objets dans votre chambre.

Exemple : Le stylo est sur la table, derrière l'ordinateur. Il y a une télévision sous le lit...

Le bureau est _____

Le livre est _____

Le stylo est _____

17   Décrire une ville (1)

Découvrez les villes du Midi-Pyrénées !

La mairie de brique « rose »

Des monuments en brique

Toulouse

Vous connaissez la « Ville rose » ? Toulouse **est célèbre pour** ses monuments en brique rouge pâle, comme la place du Capitole, **près de** la gare Matabiau. **Sur la place** on trouve la mairie. **En face de** la mairie, **il y a** des cafés et des magasins pour les touristes. C'est aussi une merveille pour les familles en week-end !

On le dit comme ça

La ville **est célèbre pour…**

Près de la gare Matabiau **se trouve** le Capitole.

Sur la place, on trouve la mairie.

En face de la mairie, **il y a** des cafés.

Vous connaissez…? >> Je connais Toulouse.

Prononcer « y » ou « il »

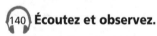 **Écoutez et observez.**

« il »

famille. merveille. ⚠ : ville.

Ça se passe comme ça

La **Tour Nationale du Canada** (ou Tour « CN »)
se trouve à Toronto, au Canada.
342 m ! Une des 7 merveilles du monde.

A C T I V I T É S

1 Vrai ou faux ? Lisez les textes de la leçon et cochez.

	VRAI	FAUX
1. Toulouse est appelée la « ville rouge ».	☐	☐
2. La place du Capitole se trouve près de la gare Matabiau.	☐	☐
3. Il y a des cafés près de la gare Matabiau.	☐	☐
4. Toulouse est célèbre pour ses magasins pour les touristes.	☐	☐

2 Lisez, écoutez et classez les mots.

merveille – ville – fille – famille – gentille – mille

« il »						
« ille »	*merveille*					

3 Lisez et reliez.

1. *Je prends un café crème au...*   **a.** mairie.

2. J'achète des souvenirs au...   **b.** gare.

3. Je prends mon passeport à la...   **c.** *café.*

4. Je prends le train à la...   **d.** magasin.

4 Découpez les mots.

Exemple : La/mairie /d'/Angoulême/se/trouve/sur/la/place/centrale.

1. Lavilleestcélèbrepoursesmonuments.

2. SurlaplacesetrouveuneégliseduMoyenÂge.

3. Lesmagasinssetrouventenfacedelamairie.

4. Lescaféssetrouventprèsdelagare.

5 Remettez le dialogue dans l'ordre. Puis écoutez pour vérifier vos réponses.

– Tu connais Bordeaux ? ___*1*___

– Oui. Et il y a beaucoup de boutiques sympas aussi : des cafés, des boutiques de souvenirs, des restaurants.
 Tu connais de bons cafés ? _____

– Il y a un café sympa vers la place du Palais. _____

– Oui, bien sûr, je connais Bordeaux. Bordeaux est célèbre pour ses monuments classés patrimoine de
 l'UNESCO. Une merveille ! _____

Décrire une ville (2)

Parler des lieux

Découvrez les villes du Midi-Pyrénées !

Albi : La « Ville rouge » a beaucoup de monuments en brique. La cathédrale est le monument le plus célèbre. **À Albi se trouve** le musée Toulouse-Lautrec (ville de naissance du peintre).

Foix : Cette ville a un magnifique château du Xe siècle. **Près du château se trouvent** l'office du tourisme, la poste et les principaux hôtels. **Dans** le quartier moderne, **on trouve** la piscine, le théâtre et les écoles.

On le dit comme ça

La gare / elle **se trouve**...
Le musée / Il **se trouve**...
Il y a...
Dans le quartier moderne, **on trouve**...
Je connais la cathédrale d'Albi.

Les liaisons

(143) **Écoutez et observez.**

le théâtre et les écoles
la poste et les principaux hôtels

Ça se passe comme ça

Le Manneken Pis se trouve en Belgique, à Bruxelles.

Et vous ? Vous connaissez des monuments extraordinaires chez vous ?

1 Vrai ou faux ? Lisez les textes de la leçon p. 60 et cochez.

	VRAI	FAUX
1. À Albi se trouve un magnifique château du xe siècle.	☐	☐
2. Albi a beaucoup de monuments de brique rouge.	☐	☐
3. À Foix, la piscine, le théâtre et les écoles se trouvent dans le quartier moderne.	☐	☐
4. Foix possède un magnifique château du xixe siècle.	☐	☐

2 Qu'est-ce que c'est ? Observez, lisez et complétez.

1. Je regarde un film au _____	2 Je vais nager à la _____	3. C'est un _____	4. La _____ de Toulouse se trouve place du Capitole.

3.1 Entourez les liaisons.

Exemple : À Foix, les écoles se trouvent vers les allées de Villotes.

À Toulouse, vous avez beaucoup de cafés. Dans ces cafés, vous êtes au calme. Les principaux hôtels se trouvent dans les environs de la gare.

3.2 Écoutez et répétez.

4 Écoutez et complétez les dialogues.

Près de	En face de	Sur

Dialogue 1 : – Alors, tu vas en vacances ?
– Oui, je vais à Paris. Mon hôtel se trouve _____ la gare.

Dialogue 2 : – Il y a un office de tourisme à Toulouse ?
– Il se trouve _____ la mairie. C'est facile.

Dialogue 3 : – Il y a des cafés sympas ici ?
– _____ la place Wilson, il y a des cafés. C'est très sympa !

5 Décrivez une ville.

Exemple : À Greenwich, en Angleterre, il y a un grand parc. Dans le parc, il y a un musée d'histoire maritime. À côté du parc, il y a le village avec des magasins et un marché.

_____ .

_____ .

18   Décrire un quartier

Messages sur répondeur

(148) **1** Coucou Vincent, tu arrives à la fac
en bus ? Prends le bus numéro sept.
L'arrêt de bus est en face de la fac.

(149) **2** Bonjour. C'est M. Leclerc. **Je vous attends
devant** la médiathèque pour la réunion.
Au numéro 20, **à côté du** magasin de souvenirs.
À tout à l'heure !

(150) **3** Allô Sophie ? Pour aller à pied à la piscine,
tourne à gauche à la mairie, **c'est à gauche**.
Bisous !

On le dit comme ça

Je vais à la fac **en** bus.
(**en** train / **en** bus / **en** voiture / **en** moto).
⚠ Je vais à la piscine **à** pied.
Je vais à la gare **à** vélo / **à** moto.

– La piscine **est à gauche / à droite**.
– **Je vous attends devant** la médiathèque.
– Je suis à **côté du** magasin…

Prononcer « s »

(151) **Écoutez et observez.**

« s »		« z »	
le bus	sept	Je vous attends.	le magasin
en face	souvenirs	Bisous !	Bisous à tous mes amis !
la piscine		Je vous attends	
		au magasin.	

Ça se passe comme ça

Les Français aiment se donner
rendez-vous au café.
C'est un lieu de rencontre
pour les gens du quartier.

1 Vrai, faux ou je ne sais pas ? Écoutez les messages de la leçon et cochez.

	VRAI	FAUX	Je ne sais pas (?)
1. *Vincent est étudiant.*	☐	☐	☒
2. M. Leclerc va à une réunion.	☐	☐	☐
3. M. Leclerc travaille à la médiathèque.	☐	☐	☐
4. Sophie va à la mairie.	☐	☐	☐

2 Où vont Vincent, M. Leclerc, Sophie ? Lisez le dialogue p. 62 et cherchez sur la carte.
Exemple : Sophie va à la piscine.

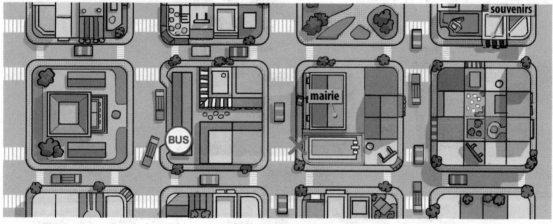

M. Leclerc va _____   Vincent va _____

3 Écoutez et cochez.

	« S »	« Z »
1. C'est le bus numéro sept.	X	_____
2. Bisous à tous mes amis !	_____	_____
3. Quelle est votre adresse ?	_____	_____
4. La piscine, c'est en face.	_____	_____
5. Je vous attends au magasin.	_____	_____

4 Lisez et entourez le son « z ». Puis écoutez pour vérifier vos réponses.

Bonsoir,

Je vais dans le centre en bus. Je sui(s a)vec mon amie anglaise. Je vais au magasin de souvenirs et à la piscine. Je vous attends en face du cinéma à onze heures. Bisous !

5 Écoutez et répétez.

Je vous attends à la piscine avec mes amis. C'est en face du magasin de souvenirs.
Rendez-vous à 11 heures.

A C T I V I T É S

158 **6** Écoutez les phrases et complétez avec la liste de mots.

en face – *à côté* – à gauche – à droite.

1. *La piscine ? Elle est ___à côté___ du cinéma.*

2. Je vais à la médiathèque, c'est _____ de la piscine. _____ il y a un parking.

3. L'hôtel Bonrepos ? C'est juste _____ .

7 Observez les photos et complétez.

① ② ③ ④ ⑤

Exemple : Je pars en __train___ ; **2.** en _____ ; **3.** en _____ ;

4. à _____ ; **5.** à _____ .

8 Lisez les questions et répondez.

Exemple : Comment allez-vous à la gare ? (bus) → Je pars en bus.

1. Comment allez-vous à Paris ? (voiture)

_____ .

2. Comment allez-vous à la bibliothèque ? (moto)

_____ .

3. Comment allez-vous au café ? (pied)

_____ .

4. Comment allez-vous à Tokyo ? (avion)

_____

5. Comment allez-vous à l'université ? (bus)

_____ .

6. Comment allez-vous à Bruxelles ? (train)

_____ .

9   **Dans votre quartier, il y a... ? Lisez et répondez.**

Exemple : Il y a un théâtre ? → Oui, il y a un théâtre.
Non, il n'y a pas de théâtre.

Il y a...

...une mairie ? _____

...une médiathèque ? _____

...des magasins ? _____

...un cinéma ? _____

...une piscine ? _____

10   **Lisez et complétez.**

1. À côté de ma maison, il y a _____ .

2. J'habite près d'un / d'une _____ .

3. Dans mon quartier, il y a _____ .

4. Je vais au / à la _____ à pied.

5. Je vais au / à la _____ en voiture.

11   **Décrivez votre quartier.**

Exemple : Il y a un café. Le café est en face du cinéma. À pied, c'est à 10 minutes...

_____

_____

_____

_____

_____

_____

_____

19 Décrire une région

Parler des lieux

Une région magnifique

samedi 24 mai
Des plages et du soleil !

Me voilà dans la région PACA (Provence-Alpes-Côte d'Azur) !

__Cette région__ du sud-est est __magnifique__.
__Il y a tout__ :
– la __campagne__ et la __montagne__. Regarde la montagne Sainte-Victoire. Elle est célèbre pour les peintures de Cézanne.
– la __mer__ Méditerranée : des plages et du soleil !
– des __villes célèbres__ : Marseille, Cannes, Saint-Tropez… Ces villes sont très __touristiques__.
– la gastronomie :
la pissaladière au déjeuner, les grillades aux herbes de Provence et le Pastis en apéro. Miam !

La montagne Sainte-Victoire

La pissaladière   Les grillades

On le dit comme ça

Cette région est **magnifique**.
Cette ville / Ce lieu est **célèbre**.
Ces villes sont très **touristiques**. **Il y a tout !**
Il y a la montagne, la ville, la mer, la campagne…

Prononcer « gn »

(159) **Écoutez et observez.**

« gn »
La montagne
La campagne
C'est magnifique.
Avignon

Ça se passe comme ça

Les Français ont l'habitude de commencer le repas par l'*apéro* (abréviation d'*apéritif*). C'est souvent une boisson alcoolisée. Au moment de manger, on dit : *Bon appétit !*

ACTIVITÉS

1

1. Vrai, faux ou je ne sais pas ? Lisez le texte p. 66 et cochez.

	VRAI	FAUX	JE NE SAIS PAS
1. Le Lubéron, c'est la campagne.	☐	☐	☐
2. La montagne Sainte-Victoire est célèbre grâce à Paul Cézanne.	☐	☐	☐
3. Les villes méditerranéennes sont très touristiques.	☐	☐	☐
4. On mange la pissaladière avec du poisson.	☐	☐	☐

2. Lisez le texte p. 66 et reliez.

1. Le Lubéron   **a.** La montagne
2. Cannes   **b.** La plage
3. Sainte-Victoire   **c.** La campagne

2

1. Écoutez et remettez le dialogue dans l'ordre.

1. Quelle chance ! La campagne, le calme…   _____
2. Tu m'accompagnes ?   _____
3. Tu vas en Espagne ?   ___*a*____
4. Oui. Dans la montagne. C'est magnifique !   _____

2. Entourez le son « gn » et lisez le dialogue.

3

Écoutez les dialogues et écrivez le numéro du dialogue sous la photo.

La montagne
dialogue _*3*_ _

La gastronomie
dialogue _____

La plage
dialogue _____

La ville
dialogue _____

4

Reliez.

1. *J'adore les Alpes !*   **a.** Cet alcool est une spécialité locale.
2. Je suis à Cannes.   **b.** *Ces montagnes sont magnifiques.*
3. Dans la région PACA, on boit beaucoup de Pastis.   **c.** Où est ce monument ?
4. Le Manneken Pis ?   **d.** Cette ville est célèbre pour son festival de cinéma.

5

À vous ! Décrivez un lieu.

Exemple : Je suis au Vietnam. C'est magnifique ! Les villes sont très dynamiques.

_____

_____

_____

20 Demander des renseignements touristiques

 Un touriste à Paris

– **Excusez-moi** madame. Vous habitez ici ?
– Oui. Je peux vous aider ?
– **Où** est le métro Saint-Michel ?
– C'est facile ! Tournez à gauche ici.
– Merci ! Qu'est-ce que c'est « Notre-Dame » ?

– Une cathédrale. C'est magnifique !
– **Quand** est-ce que c'est ouvert ?
– Tous les jours de 8 h à 19 h.
– **Combien** ça coûte ?
– Ah, c'est gratuit monsieur !
– Et ça ? **Qu'est-ce que** c'est ?
– C'est le musée de Cluny.

On le dit comme ça

– Excusez-moi madame / monsieur...
– Où est... ?
– **Quand** est-ce que c'est ouvert ?
– Ça ouvre...
– **Combien** ça coûte ?
– Ça coûte...
– **Qu'est-ce que** c'est ?
– C'est...

Prononcer « i » et « u »

 Écoutez et observez.

« **i** »

Vous habitez **i**ci ?
C'est magn**i**fique.

« **u** »

Exc**u**sez-moi.
C'est le m**u**sée
de Cl**u**ny.

Ça se passe comme ça

Le vendredi soir, 10 000 Parisiens font du roller
dans les rues de Paris.

Parler des lieux

ACTIVITÉS

1 Vrai, faux ou je ne sais pas ? Écoutez le dialogue de la leçon et cochez. **VRAI FAUX JE NE SAIS PAS**

1. *La femme est une touriste.* ☐ ☒ ☐

2. L'homme cherche le métro Saint-Michel. ☐ ☐ ☐

3. L'homme veut visiter la cathédrale Notre-Dame. ☐ ☐ ☐

4. La visite de Notre-Dame est gratuite. ☐ ☐ ☐

2.1 « i » ou « u » ? Lisez et cochez. **son « i »   son « u »**

1. *C'est ici.* ☒ ☐

2. C'est le musée d'Orsay. ☐ ☐

3. à côté du café ☐ ☐

4. près de la piscine ☐ ☐

2.2 Écoutez et répétez.

3 Lisez et entourez le son « u ». Puis écoutez pour vérifier vos réponses.

1. Le café Ibis, c'est ici. Près du cinéma. Tournez ici, à gauche du musée. Marchez tout droit. C'est là.

2. Il y a du jus d'orange, du café au lait et du thé sucré.

4 Reliez les questions aux réponses.

1. Où est la gare ?   **a.** C'est un musée : le musée du Quai Branly.

2. Quand est-ce que le musée est ouvert ?   **b.** C'est ouvert de 9h à 18 h 30.

3. Qu'est-ce que c'est ?   **c.** La gare, c'est à droite.

4. Un ticket, combien ça coûte ?   **d.** Ça coûte 2 €.

5 Posez les bonnes questions.

Exemple : Qu'est-ce que c'est ? C'est la gare.

1. _____ ?   **a.** Le magasin est ouvert de 10 h à 19 h du lundi au samedi.

2. _____ ?   **b.** C'est un monument. Il s'appelle l'Arc de Triomphe.

3. _____ ?   **c.** Le billet coûte 70 €.

4. _____ ?   **d.** L'arrêt de bus se trouve à côté de la gare.

6 À vous ! Complétez le dialogue avec les bonnes questions.

– Excusez-moi, *Où est la station Bir-Hakeim ?*

– C'est facile ! Continuez tout droit. C'est à droite.

– Mais _____ la « Tour Eiffel » ?

– C'est un monument très célèbre.

– _____ c'est ouvert ?

– C'est ouvert de 9 h 30 à 23 h je crois.

– _____ gratuit ?

– Ah ça, je ne crois pas...

21 S'informer sur un appartement

Parler des lieux

Cherchons colocation

1. La maison et le jardin

48 – **NOUS SOMMES UNE COLOCATION** DE 4 PERSONNES très sympas. **Nous habitons** dans **une** grande **maison** avec salon, cuisine, grande salle de bains (commune) et un jardin. **Nous cherchons** un 5e coloc'. **La chambre est disponible immédiatement. 200 € / mois** – eau et électricité non inclus. **Téléphonez à Rosie au : 06 XX XX XX.** *15957*

2. Le salon

On le dit comme ça

Nous sommes une colocation de...
Nous habitons une maison / un appartement...
Nous cherchons...
La salle de bains est commune / individuelle.
La chambre est disponible immédiatement.

Prononcer « un »

 170 **Écoutez et observez.**

« un »
Il y a une salle de bains.
Il y a un jardin.
Elle est sympa.

Ça se passe comme ça

Paris, Marseille, Lyon, Nantes, Rennes, Montpellier et Toulouse sont les principales grandes villes de colocation. **Ces villes représentent 59% de la demande de colocation en France.**

COLOCATION

1   **Quelle est la bonne réponse ? Lisez l'annonce p. 70 et cochez.**

1. C'est une annonce pour...

– un achat de maison. ☐

– une colocation. ☐

2. Il y a...

– 4 personnes dans la maison. ☐

– 5 personnes dans la maison. ☐

3. La salle de bains est...

– commune. ☐

– individuelle. ☐

2   **Écoutez et entourez le son « un ».**

– Bonsoir. C'est pour la maison. Il y a (un) jardin ?

– Oui. Vous êtes intéressé ?

– Je ne sais pas encore. Combien coûte la chambre taxes incluses ?

– 200 € par mois.

– Bien. Et la salle de bains ?

– C'est en commun. La cuisine et le jardin aussi. C'est très sympa.

3   **Lisez et complétez les questions.**

1. _____*Combien*_____ coûte la chambre ?   **2.** _____ un jardin ?

3. _____ de personnes habitent ici ?   **4.** _____ est commune ?

4   **Complétez le dialogue.**

– Bonjour, *je téléphone pour la chambre. La chambre est toujours disponible ?*

– Oui. La chambre est encore disponible. Nous sommes 4.

– La salle de bains est _____ ?

– Non... La salle de bains est commune. Le jardin et la cuisine aussi. Mais nous sommes très sympas vous verrez.

– Et combien _____ ?

– Elle coûte 200 €.

– Eau et électricité _____ ?

– Non. Non inclus hélas.

5   **À vous ! Trouvez des questions.**

CHAMBRE EN COLOCATION DISPONIBLE – 3 personnes.
2 hommes et une femme, cherchent colocataire calme.
Téléphonez au : 06 80 51 74 28

_____

_____

_____

_____

_____

22

S'informer pour acheter

 Comment faire pour voyager ?

– Bonjour. Je suis à Paris pour une semaine.
   Comment faire pour voyager ?
– Vous voulez un passe Navigo pour une semaine ?
– **Qu'est-ce que c'est** un passe Navigo ?
– C'est une carte de transport.
– **C'est pour quoi** ? Pour le métro ?
– Pour le bus, le métro, le RER et les trains.

– **Combien coûte** un passe Navigo ?
– Ça coûte 20 € par semaine.
– Et **combien coûte** un ticket à l'unité ?
– 1,70 €.
– **Où est-ce qu'on achète** un passe Navigo ?
– Ici, au guichet. Ou à une borne.
                └→booth   └→machine

On le dit comme ça

Comment faire pour voyager ?

Qu'est-ce que c'est... ?

C'est pour quoi ?

Combien coûte... ?

Où est-ce qu'on achète... ?

Questions – réponses

 Écoutez et observez.

Qu'est-ce que c'est **Navigo** ? ↗

C'est pour quoi ? ↗

Combien coûte un passe **Navigo** ? ↗

Où est-ce qu'on achète un passe
Navigo ? ↗

Ça se passe comme ça

L'autolib´   **Le RER**   **Le vélib´**   **Le métro parisien**

A C T I V I T É S

1 Vrai ou faux ? Écoutez le dialogue de la leçon et cochez.

	VRAI	FAUX
1. Le passe Navigo est une carte de transport parisien.	☒	☐
2. Le passe Navigo permet de voyager dans le métro.	☒	☐
3. Le passe Navigo coûte 1,70 €.	☐	☒
4. On achète le passe Navigo au guichet ou à une borne.	☒	☐

2 Écoutez et répétez.

1. – Qu'est-ce que c'est le passe Navigo ?
   – C'est une carte de transport.

2. – C'est pour quoi ?
   – C'est pour le bus, le métro, le RER.

3. – Combien coûte le passe Navigo ?
   – Ça coûte 20 €.

4. – Où est-ce qu'on achète le passe Navigo ?
   – On achète le passe Navigo au guichet.

3 Question ou réponse ? Écoutez et cochez.

	1. Combien ça coûte ?	2	3	4	5
Question	X			X	X
Réponse		X	X		

4 Remettez le dialogue dans l'ordre.

1. Bonjour. Vous pouvez prendre un Paris museum passe peut-être ? __b.__

2. Où achète-t-on un Paris museum passe ? __e__

3. Bonjour. Je suis à Paris pour une semaine. Comment faire pour visiter les musées ? __a__

4. Qu'est-ce que c'est un Paris museum passe ? __c.__

5. C'est pour visiter librement 60 musées dans la région parisienne. __d.__

6. En ligne. Sur le site du Paris museum Passe. __f.__

5 **1** Trouvez la bonne question.

1. _Combien coûte un ticket à l'unité_ ?
   Le ticket à l'unité coûte 2 €.

2. _Où est-ce qu'on achète les tickets_ ?
   On achète les tickets au guichet ou à la borne automatique.

3. _Qu'est-ce que c'est le vélib'_ ?
   Le vélib', c'est un vélo de location parisien.

4. _C'est pour quoi le passe Navigo_ ?
   Le passe Navigo, c'est pour le bus, le métro, le train et le RER.

2 Écoutez pour vérifier vos réponses.

1 Observez le plan et complétez les phrases avec « première, deuxième, troisième... » et les directions « à droite, à gauche ».

Vous êtes à « Centre Deux »,

1. la rue Jules Simon, c'est la _____ rue _____
2. la rue Chevreul, c'est la _____ rue _____
3. la rue Alexandre Pourcel, c'est la _____ rue _____

2 Lisez et reliez.

1. J'habite à côté du   a. la place du marché.
2. Je viens du sud de   b. Marseille.
3. Attendez-moi sur   c. la France.
4. Je suis à   d. métro.

3 Entourez la bonne réponse.

1. Je vais   à la / au   montagne.
2. Elle va   au / à la   théâtre.
3. Tu vas   à la / à l'   plage.
4. Il va   au / à l'   aéroport.

4 Formez des phrases.

1. Toronto. / viens / Je / de _____
2. fromage / de / Provence. / Le / vient _____
3. vient / D'où / vin ? / le _____
4. Félix ? / est / D'où _____
5. région / de la / Il / vient / Toulouse. / de _____

5   Présentez votre ville.

Exemple : York est une ville magnifique. Il y a des monuments du Moyen-Âge. Près de la Cathédrale,
           il y a des boutiques…

_____

_____ .

6   Où sont ces objets ? Entourez la bonne réponse.

La calculatrice est
| à côté du |
| *sur le* | stylo.
| *dans le* |

Le stylo est
| *dans le* |
| *sur le* | livre.
| *à côté du* |

Le téléphone est
| *à gauche de l'* |
| *à droite de l'* | ordinateur.
| *sur l'* |

7   Un séjour en France : écoutez les réponses et cochez la bonne question.

1. **1.**   Quel est le prix de la chambre ?   ☐
   2.   La salle de bains est commune ou individuelle ?   ☐
   3.   Il y a un jardin ?   ☐

2. **1.**   L'eau et l'électricité sont inclus ?   ☐
   2.   La salle de bains est commune ou individuelle ?   ☐
   3.   Combien de personnes habitent dans la maison ? ☐

8   Lisez les phrases et numérotez les photos.

1. Où est-ce qu'on achète le ticket ?   2. Quand est-ce que ça ouvre ?

3. Qu'est-ce que c'est ?   4. Combien coûte le passe ?

1

23

Décrire les vêtements

 C'est joli !

Rose **porte** une robe blanche. Elle est belle !

Elle **porte** un manteau noir, une écharpe blanche et un chapeau jaune. **C'est joli !**

J'**aime beaucoup** ton costume gris.
La veste **te va très bien**.
Je n'aime pas ton pull vert, **c'est laid** !
Je déteste tes chaussures orange !

On le dit comme ça

Qu'est-ce qu'ils portent ?

– Elle **porte** un manteau noir, une écharpe blanche et un chapeau jaune. **C'est joli !**

– **J'aime beaucoup** ton costume gris ! La veste **te va très bien** !

– **J'adore** ta robe blanche !

– **Je n'aime pas** ton pull vert, **c'est laid** !

– **Je déteste** tes chaussures orange !

La place de l'accent

 Écoutez et observez.

Elle porte un manteau.
Elle porte un manteau **noir**.
Il porte une veste.
Il porte une veste **jaune**.
Elle porte une robe.
Elle porte une robe **blanche**.

Ça se passe comme ça

Paris, capitale de la mode.
Connaissez-vous des grands couturiers francophones ?
Christian Dior est français, Christian Lacroix est français, Jean-Paul Knott est belge.

Christian Dior   Christian Lacroix   Jean-Paul Knott

A C T I V I T É S

	VRAI	FAUX

1 **Vrai ou faux ? Écoutez et cochez.**

1. *Elle porte un manteau vert.* ☐ ☒

2. Il porte un costume gris. ☐ ☐

3. Elle porte une veste noire. ☐ ☐

4. J'aime ton pull vert. ☐ ☐

5. Je déteste tes chaussures orange. ☐ ☐

2 **Écoutez et répétez.**

1. Un mant**eau**. / Il p**o**rte un mant**eau**. / Il p**o**rte un manteau **rou**ge.

2. Une cra**va**te. / Je porte une cra**va**te. / Je porte une cravate bl**eu**e.

3. Un j**ean**. / Elle met un j**ean**. / Elle met un jean g**ri**s.

4. Une j**u**pe. / J'aime ta j**u**pe ! / J'aime beaucoup ta j**u**pe.

3 **Associez phrases et photos.**

a.

b.

c.

d.

e.

1. J'adore ta robe rouge. _b_

2. Je déteste sa chemise violette. _____

3. J'aime beaucoup sa cravate. _____

4. Je n'aime pas ces chaussures bleues. _____

5. Son chapeau est joli ! _____

4 **Qu'est-ce qu'ils portent ?**

Exemple : *Elle porte une robe jaune et blanche, un sac noir et blanc, des lunettes de soleil. Elle est belle !*

1. Elle porte _____
_____
_____

2. Il porte _____
_____
_____

3. Il met _____
_____
_____

24

Parler de ses goûts

Un sondage : *Qu'est-ce que vous aimez ?*

183 – Bonjour madame. C'est pour un sondage sur les loisirs des Français. Vous avez deux minutes ?
– Oui.
– Merci. Alors… Regardez le sondage. **Qu'est-ce que vous aimez ?**
– Hm.. **J'adore** faire la cuisine, **j'aime beaucoup** nager et **j'aime bien** les animaux. Mais **je n'aime pas** regarder la télé*.
– Vous aimez regarder des films ?
– J'aime bien… Mais **je déteste** les films violents.

je déteste : ✘✘   je n'aime pas : ✘
j'aime bien : ♥   j'aime beaucoup : ♥ ♥
j'adore : ♥ ♥ ♥

* télé = télévision

On le dit comme ça

Qu'est-ce que vous aimez ?
Je déteste… les films violents.
Je n'aime pas… la télé.
J'aime bien… les animaux.
J'aime beaucoup… nager.
J'adore… faire la cuisine.

Prononcer « oui » et « ui »

184 **Écoutez et observez.**

« oui »   « ui »
  Oui.   J'aime faire la cuisine.

Ça se passe comme ça

Voici des sportifs français célèbres.
1. Tony Parker est basketteur.
2. Sébastien Chabal est rugbyman.
Quels sont les sportifs célèbres chez vous ?

1 Quelle est la bonne réponse ? Écoutez le dialogue de la leçon et cochez.

La femme adore…

☐ faire la cuisine.

☐ manger.

☐ regarder des films.

☐ nager.

La femme n'aime pas…

☐ faire la cuisine.

☐ manger.

☐ regarder la télévision.

☐ nager.

2 Relisez le dialogue p. 78 et complétez les phrases.

les films violents – faire la cuisine – regarder la télé – nager – ~~les animaux~~

1. Elle adore _____ .

2. Elle aime beaucoup _____ .

3. Elle aime bien _____ *les animaux* _____ .

4. Elle n'aime pas_____ .

5. Elle déteste _____ .

3 Lisez le texte et entourez le son « ui ». Puis écoutez et répétez.

Oui, bien sûr. Moi, j'adore la cuisine. Heureusement, car nous sommes huit ! J'aime faire du bouillon de légumes, cuisiner des sardines à l'huile et préparer des huîtres.

4 « oui » ou « ui » ? Écoutez et cochez.

	1 : huit	2	3	4
« oui »				
« ui »	X			

5 Trouvez le bon verbe et complétez la grille.

1. J'aime la piscine, j'aime…	
2. Au bureau, je dois…	
3. Au restaurant, j'adore… du poulet.	
4. J'adore… des films à la télévision.	
5. Je n'aime pas le sport, mais j'aime…	

Quel est le mot magique ?

_____

1				N	A	G	E	R
2								
3								
4								
5								

ACTIVITÉS

6 Lisez le texte et complétez les phrases.

J'ai beaucoup de passions. J'adore le sport comme le tennis, nager, danser, etc. J'aime les livres et les films romantiques. J'aime aussi marcher dans la nature. Je suis très calme. Je n'aime pas faire du shopping.

Exemple : Je vais au tennis avec Mathilde ? Oui, elle adore le tennis.

1. Je vais à la piscine avec Mathilde ?

_____ .

2. Je vais à la médiathèque avec Mathilde ?

_____ .

3. Je vais au cinéma avec Mathilde ?

_____ .

4. Je vais au parc avec Mathilde ?

_____ .

5. Je vais au centre commercial avec Mathilde ?

_____ .

7 Écoutez et complétez. (188)

1. Moi, j'aime le sport. _____ nager. Je vais à la piscine tous les jours.

2. Moi aussi, _____ nager. Mais _____ les piscines. Je préfère nager à la mer.

3. _____ nager. _____ regarder des films.

8 Répondez.

Exemple : Vous aimez regarder la télévision ? → Non. Je n'aime pas regarder la télévision.

1. Vous aimez manger au restaurant ? _____ .

2. Vous aimez regarder des films au cinéma ? _____ .

3. Vous aimez les animaux ? _____ .

4. Vous aimez aller au travail ? _____ .

5. Vous aimez faire du sport ? _____ .

9 Qu'est-ce que vous aimez ? Lisez et classez les expressions suivantes dans le tableau.

nager – regarder la télévision – les animaux – manger au restaurant

| faire la fête | l'art | faire du shopping | chatter sur l'ordinateur |

Je déteste...	Je n'aime pas...	J'aime bien...	J'adore...

10 À vous ! Qu'est-ce que vous aimez / n'aimez pas ? Complétez.

Moi, j'aime _____

_____

_____

_____

_____

_____

_____

_____

_____

_____

Décrire les objets

189 **1 Ma tablette est super !**

– C'est ta tablette ?
– Oui. **Elle est neuve.**
– **Elle est super** ! Et elle est toute petite. **Elle est utile ?**
– Très utile. Elle est bien pour les parents, parce qu'il y a beaucoup de jeux pour les enfants.
– Mais **c'est un peu cher.** Dommage.

190 **2 Il est facile à utiliser !**

– **Il est neuf ton smartphone ?**
– Oui. C'est un cadeau.
– Tu as de la chance. **Il est beau !**
– Et **il est facile à utiliser.** La connexion Internet est rapide.

On le dit comme ça

Voici mon nouveau smartphone. / Voici ma nouvelle tablette.
Il est neuf ton smartphone ? / Elle est neuve ta tablette ?
Il / **Elle est super / facile à utiliser / rapide.**
Mais c'est un peu cher.
Il est beau ! / **Elle est belle !**

Prononcer « eu »

191 **Écoutez et observez.**
« eu »

Le smartphone.
C'est neuf.
C'est un peu cher.
Il y a des jeux pour les enfants.

Ça se passe comme ça

Les cadeaux d'anniversaire   Les cadeaux de Noël   La fête des mères

Quelles sont les fêtes chez vous ?

A C T I V I T É S

	la tablette	le smartphone
1 Écoutez les dialogues de la leçon et cochez.		

1. Il est neuf. / Elle est neuve.   ☒   ☒

2. Il est utile. / Elle est utile.   ☐   ☐

3. Il est beau. / Elle est belle.   ☐   ☐

4. Il est un peu cher. / Elle est un peu chère.   ☐   ☐

5. Il est super. / Elle est super.   ☐   ☐

6. Il est petit. / Elle est petite.   ☐   ☐

7. Il est facile à utiliser. / Elle est facile à utiliser.   ☐   ☐

2 Écoutez et répétez.

1. Mon Ipad est tout neuf.   **2.** J'aime les fleurs.

3. C'est un bon lecteur DVD.   **4.** Ma liseuse est super.

3 Écoutez et classez.

neuve – père – fleur – regarder – mairie – et – de – mer – jeux – le – peu –

son « eu »	neuve
son « è »	
son « é »	

4 Lisez et entourez la bonne réponse.

1. La tablette	2. La liseuse	3. Le lecteur mp4	4. Le smartphone
Elle est neuf / (neuve).	Elle est petit / petite.	Il est peu cher / peu chère.	Il est beau / belle.

5 À vous ! Complétez.

Exemple : Mon Ipad ? Il est super. Il est très utile pour les enfants. Il y a beaucoup d'applications...

1. Mon smartphone ? _____ .

2. Mon ordinateur ? _____ .

3. Mon lecteur mp4 ? _____ .

4. Ma liseuse ? _____ .

Parler de soi

1 Je suis végétarienne

– Tu prends encore du poulet
à la cantine !
– Oui. **J'adore** le poulet.
Surtout avec des olives.
– Moi **je prends** une salade
de tomates.
Je n'aime pas la viande. Je suis
végétarienne.

2 J'adore le saumon

– Tu prends du riz ?
– Oui. Du riz et du poulet aussi.
J'aime le poulet.
– Moi, **je prends** du poisson.
J'adore le saumon.

On le dit comme ça

J'aime / j'adore { le poulet, le saumon.
les frites, les olives...

Je n'aime pas la viande.

Tu prends du poulet et du riz ?

Je prends une salade de tomate et **du** poisson.

Je prends / mange **des** olives, des frites, des pâtes...

Les consonnes finales

Écoutez et observez.

Tu prends encore du poulet !
Surtout avec des olives.
Tu prends du riz ?

Ça se passe comme ça

Il y a plusieurs plats dans **un repas traditionnel**.

l'entrée

le plat principal

le fromage

le dessert

1   Vrai ou faux ? Écoutez les dialogues de la leçon et cochez.

Dialogue 1	VRAI	FAUX	Dialogue 2	VRAI	FAUX
1. Alice et Laurent aiment le poulet.	☐	☐	**1.** La 1re personne prend du saumon.	☐	☐
2. Alice aime les olives.	☐	☐	**2.** La 2e personne prend du riz.	☐	☐

2   Écoutez et entourez les consonnes muettes.

Au restauran(t), je prends du riz et du poulet avec des olives. Mes enfants mangent des frites. Ils aiment les frites et le saumon. Mon mari prend des oranges comme dessert.

3   Écoutez et séparez les mots.

1. Avec / mon / aminousmangeonsdespâtesavecdelaviandeetdeslégumesverts.

2. Jeprendsdestomatesàmidietmesenfantsprennentdelasaladeavecducoca.

3. J'aimelesfritesmaisjen'aimepaslesolives.

4   Et vous ? Complétez les phrases avec les expressions.

Exemple : Au petit-déjeuner, moi je mange des œufs et du bacon. Je bois du jus d'orange.

des œufs et du bacon   des céréales et du lait   du pain et de la confiture

Au petit-déjeuner, je mange _____ .

de l'eau   du jus d'orange   du lait

et je bois _____ .

5   À vous ! Complétez.

Je n'aime pas _____ .

J'aime _____ .

J'adore _____ .

27 Exprimer ses préférences

Parler de soi

Ils aiment bien les chiens.

🎧 203 Noël, le Nouvel An, les fêtes approchent. Quels sont les cadeaux préférés des Français ? Nos témoins répondent.

Benjamin : Moi, **je préfère** les gadgets électroniques, **en particulier** les tablettes, les lecteurs mp4, les ordinateurs portables. Ce sont de très bons cadeaux. **J'aime moins** les livres, les bijoux ou les films. C'est personnel.

Laurine : Mes enfants adorent les animaux. **Ils aiment** bien les chiens, mais **encore plus** les chats. Mon mari veut offrir un chat. Moi, **je préfère** les petits animaux, **comme** les hamsters. C'est plus facile !

Sébastien : J'aime offrir des chocolats, des bonbons ou des fleurs. D'accord, c'est impersonnel, peut-être. Mais c'est plus sûr.

On le dit comme ça

J'adore les animaux, **en particulier** les chats.
J'adore les animaux **comme** les chats, les chiens, les hamsters...
J'aime les chiens. Mais **je préfère** les chats, j'aime **encore plus** les chats.
J'adore les chats. **J'aime moins** les chiens.

J'ai → J'ai

🎧 204 **Écoutez et répétez.**
j'adore
j'aime
l'animal domestique
l'ordinateur portable

Ça se passe comme ça

Voici les animaux préférés des Français selon un sondage Ipsos :
– **56** % des Français préfèrent les chiens.
– **44** % des Français aiment les chats.
– **33** % des Français aiment les chevaux.
– **25** % des Français préfèrent les dauphins.
– **12** % des Français préfèrent les écureuils.

1 Quelle est la bonne réponse ? Écoutez l'interview de la leçon et cochez.

1. Benjamin préfère...

☐ les gadgets électroniques. ☐ les animaux. ☐ les livres. ☐ le sport.

2. Laurine préfère...

☐ les gadgets électroniques. ☐ les chats. ☐ les chiens. ☐ les hamsters.

3. Sébastien offre...

☐ des gadgets électroniques. ☐ des chocolats. ☐ des fleurs. ☐ des livres.

2 Lisez et complétez.

	adore...	aime bien...	aime moins...
Benjamin			
Laurine			

3 « e » ou « ' » ? Lisez et complétez. Puis écoutez pour vérifier vos réponses.

J___ m___appelle Alexandre. J___aime les animaux. J___adore les animaux exotiques en particulier, comme l___éléphant et la girafe. J___aime moins les serpents et les insectes.

4 Écoutez et numérotez les photos.

a. Le chat :

n° __3__

b. Le chien :

n° _____

c. Le poisson :

n° _____

d. Le hamster :

n° _____

5 À vous ! Lisez et complétez.

J'aime _____ . J'adore

particulièrement _____ .

J'aime _____ , j'aime moins _____

_____ . Je n'aime pas _____ .

Mais j'aime plus _____ .

28 Interroger sur les goûts et les préférences

Parler de soi

(208) **Tu aimes les romans ?**

– Bonjour Aude. Qu'est-ce que tu lis ?
– Salut Léa. **Je lis** *le Rouge et le Noir.*
– Ah bon ? **Tu aimes** les romans classiques ?
– Oui, j'aime bien ça.
– **Moi, je n'aime pas** les classiques, **je préfère** les romans policiers.
– **Moi aussi j'aime bien** les romans policiers.
– Vraiment ? **Qu'est-ce que tu préfères** alors, les classiques ou les policiers ?
– Aucun des deux ! **Moi, je préfère** les romans de science-fiction !

On le dit comme ça

Tu aimes… ? Qu'est-ce que tu lis ?
Qu'est-ce que tu préfères ?
– J'aime…
– **Moi, je n'aime pas**… / – **Moi aussi j'aime**…
– **Moi, je préfère**…
Je lis un roman… classique, d'aventure, historique, policier, de science-fiction.

Prononcer « o »

 Écoutez et observez.

« o » fermé	« o » ouvert
Aude	or
roman	personne
policier	comme
aucun	observer

Ça se passe comme ça

Tous les ans au printemps, il y a des **salons du livre**, à Paris, Bruxelles, Genève, Montréal… On présente les nouveaux romans. Il y a des séances de dédicace, des lectures et des conférences. Un pays étranger et une ville étrangère sont invités d'honneur.

28. INTERROGER SUR LES GOÛTS ET LES PRÉFÉRENCES

A C T I V I T É S

1 Quelle est la bonne réponse ? Écoutez le dialogue de la leçon et cochez.

1. ☐ Aude regarde un film.

☐ Aude lit un roman policier.

☐ Aude lit un roman classique.

2. ☐ Aude aime seulement les romans classiques.

☐ Aude aime seulement les romans policiers.

☐ Aude aime les romans classiques et policiers.

3. ☐ Léa n'aime pas les romans classiques.

☐ Léa n'aime pas lire.

☐ Léa n'aime pas les romans de science-fiction.

4. ☐ Léa préfère les romans de science-fiction.

☐ Léa préfère les romans classiques.

☐ Léa préfère les romans policiers.

2 1 « o » ouvert ou « o » fermé ? Écoutez et classez les mots.

copain – ordre – policier – comme – pauvre – bonne – corriger – rose – robe – mot – pot

« o » ouvert : _____

« o » fermé : _copain,_____

2 Lisez les listes de mots.

3 Formez des phrases.

Exemple : bien – romans – policiers – les – Moi – j'aime → *Moi j'aime bien les romans policiers.*

1. tu – lire ? – qu'est-ce que – aimes – toi – Et → _____

2. romans – je – Moi – préfère – les – d'aventure. → _____

3. aimes – romans – Est-ce que – les – tu – historiques ? → _____

4. pas – je – Moi – classiques. - les – n'aime – romans → _____

5. bien – Moi – j'aime – de science-fiction. – romans – les → _____

4 Qu'est-ce que vous aimez lire ? Répondez.

Exemple : Moi, j'aime bien les romans policiers, et toi ?

→ Non moi, je préfère les romans historiques. / → Oui, moi aussi, j'aime bien.

1. Moi, j'aime bien les romans classiques, et toi ? → _____ .

2. Moi, j'aime bien les romans de science-fiction, et toi ? → _____ .

3. Moi, j'aime bien lire, et toi ? → _____ .

4. Moi, j'aime bien les romans historiques, et toi ? → _____ .

5. Moi, j'aime bien les romans d'aventure, et toi ? → _____ .

5 À vous. Vous parlez de romans avec un ami. Trouvez 5 questions.

Exemple : Qu'est-ce que tu aimes lire ?

_____ .
_____ .
_____ .

29 Parler de ses loisirs

Tu fais quoi après les cours ?

 1. – **Tu fais du sport** Nawëlle ?
– Oui, **je joue au tennis** et je **vais** à la piscine.

 2. – Tu fais quoi après les cours Julie ?
– **Je joue aux jeux vidéo**. C'est mon activité préférée ! Et toi Lisa ?
– Moi, **je préfère surfer sur Internet**.

 3. – Tu **fais de** la musique Sophie ?
– Oui, je **joue du** piano.
– Et Simon, il **joue de la** guitare ?
– Oui, il adore ça.

 4. – On **va** au cinéma Aurélia ?
– Oh non ! Je préfère regarder la télévision.

On le dit comme ça

- On **va** *au* cinéma ? – Je **vais** à la piscine.
- Tu **fais de** la musique ? – Je **joue du** piano / de la guitare.
- Tu **fais** quoi après les cours ?
  – Je **regarde** la télévision.
  – Je **surfe** sur Internet.
  – Je **joue aux** jeux vidéo.
- Tu **fais du** sport ? – Je **joue au** tennis.

L'intonation montante (révision)

 Observez et écoutez.

Elle joue de la guitare.
Elle joue de la **guitare** ?

Vous dînez souvent en famille.
Vous dînez souvent en **famille** ?

Tu fais du sport.
Tu fais du **sport** ?

Ça se passe comme ça

Les sports préférés des Français

Le sport préféré des Français est le football. Beaucoup de Français jouent au « foot » dans des clubs ou avec leurs amis. Dans le sud de la France, on joue aussi beaucoup au rugby. Certains Français préfèrent le tennis ou le judo.

A C T I V I T É S

1 Écoutez les dialogues de la leçon et cochez la bonne réponse.

Dialogue 1

1. ☒ *Nawëlle joue au tennis.*

   ☐ Nawëlle joue au football.

   ☐ Nawëlle ne fait pas de sport.

Dialogue 2

2. ☐ Julie préfère surfer sur Internet.

   ☐ Julie préfère jouer aux jeux vidéo.

   ☐ Julie préfère jouer au football.

3. ☐ Lisa préfère jouer au tennis.

   ☐ Lisa préfère jouer aux jeux vidéo.

   ☐ Lisa préfère surfer sur Internet.

Dialogue 3

4. ☐ Simon adore jouer du piano.

   ☐ Simon adore jouer de la guitare.

   ☐ Simon adore jouer au foot.

Dialogue 4

5. ☐ Aurélia veut regarder la télévision.

   ☐ Aurélia veut aller au cinéma.

   ☐ Aurélia veut surfer sur Internet.

2 (?) ou (.) ? Écoutez et complétez.

Exemple : Tu joues de la guitare ?

1. Vous aimez le sport _____

2. Tes parents regardent beaucoup la télévision _____

3. Tu vas au cinéma _____

4. On va dîner avec des amis _____

5. Vous sortez beaucoup en famille _____

3 Complétez les phrases avec le bon verbe.

joue – fait – vais – regardez – surfer

Exemple : Lucile___joue___ tous les jours aux jeux vidéo.

1. Ce soir je _____ au cinéma.

2. Noémie _____ du sport tous les jeudis.

3. Tu aimes _____ sur Internet ?

4. Arthur _____ très bien du piano.

5. Vous _____ beaucoup trop la télévision.

6. Alioune _____ de la musique depuis 3 ans.

ACTIVITÉS

4 **Formez des phrases.**

Exemple : regarde / la télévision. / Simon → Simon regarde la télévision.

1. sur / Internet. / Max / surfe → _____

2. fais / du sport / les / tous / jours. / Je → _____

3. cinéma. / va / Alice / au → _____

4. du / violon / Anaïs / joue / depuis 5 ans. → _____

5. au / dînent / Ils / restaurant. → _____

5 **Que font-ils après les cours ? Observez, lisez, et associez.**

a.

b.

c.

d.

e.

f.

1. Julie joue aux jeux vidéo _____*a*_____ .

2. Lisa surfe sur Internet _____ .

3. Aurélia préfère regarder la télévision _____ .

4. Nawëlle fait du sport _____ .

5. Thaïs veut aller au cinéma _____ .

6. Simon joue de la guitare _____ .

ACTIVITÉS

6   Qu'est-ce qu'ils aiment ? Écoutez et complétez.

j'aime bien *:-)*   j'aime *:-))*   j'adore *:-)))*   je n'aime pas trop *:-(*   je n'aime pas *:-((*   je déteste *:-(((*

	Pierre	Annick	Louise	Sylvain	Manon
jouer aux jeux vidéo	:)))				
regarder la télévision	:(((				
aller au cinéma	:)				
surfer sur Internet					
faire du sport	:)))				
faire de la musique					

7   Répondez aux questions avec la grille de l'exercice 6.

Exemple :   Qu'est-ce que Louise déteste faire ? → *Louise déteste regarder la télévision.*

1. Qu'est-ce que Pierre aime bien faire ?

_____ .

2. Qu'est-ce qu'Annick déteste faire ?

_____ .

3. Qu'est-ce que Louise adore faire ?

_____ .

4. Qu'est-ce que Sylvain n'aime pas faire ?

_____ .

5. Qu'est-ce que Manon aime bien faire ?

_____ .

8   À vous ! Qu'est-ce que vous faites après les cours / le travail ?

Après le travail, je vais faire des courses. Ensuite je _____ .

_____ .

_____ .

_____ .

_____ .

Proposer une activité

(223) Ça te dit de faire du vélo ?

– Salut Nico, tu vas bien ?
– Bonjour Élise ! Ça va, merci, et toi ?
– Ça va très bien, merci. **Est-ce que tu es libre** samedi ?
– Oui, **je n'ai rien de prévu**. Pourquoi ?
– **Ça te dit de faire** du vélo avec Hichem, Émilie, Aude et moi ?
– Oh oui, c'est une très bonne idée !
– Bon, super ! Alors **rendez-vous** devant le café du Canal, samedi à 10 h.
– OK, **on fait** un pique-nique ?
– Oui, bonne idée !

On le dit comme ça

Est-ce que tu es libre ?
Je n'ai rien de prévu = Je suis libre.

Ça te dit de faire du vélo ?
Tu veux faire du vélo… ?
On fait un pique-nique… ?
Rendez-vous à 10 h devant le café.

Prononcer « é »/« è » (révision)

(224) **Écoutez et observez.**
On fait du vélo ?
Je n'ai rien de prévu.
J'ai envie de pique-niquer.
Vous voulez aller à la piscine ?

Ça se passe comme ça

Au printemps, on fait souvent des **pique-niques** entre amis ou en famille. On prend une grande nappe, des boissons, de la nourriture et on s'installe dehors.

A C T I V I T É S

1 Quelle est la bonne réponse ? Écoutez le dialogue de la leçon et cochez.

1. ☐ Élise et Hichem parlent au téléphone.

☐ Élise et Émilie parlent au téléphone.

☐ Élise et Nico parlent au téléphone.

2. ☐ Nico est libre dimanche.

☐ Nico est libre samedi.

☐ Nico est libre mercredi.

3. ☐ Élise propose de faire du vélo.

☐ Élise propose d'aller à la piscine.

☐ Élise propose d'aller au cinéma.

4. ☐ Le rendez-vous est à 12 h.

☐ Le rendez-vous est à 11 h.

☐ Le rendez-vous est à 10 h.

5. ☐ Élise et Nico ont rendez-vous devant la piscine.

☐ Élise et Nico ont rendez-vous devant le café du Canal.

☐ Élise et Nico ont rendez-vous devant le cinéma.

2.1 Écoutez et entourez le son « é ».

Vous voulez aller au cinéma ? Que diriez-vous d'aller au parc ?

2.2 Écoutez et entourez le son « è ».

J'ai envie d'aller pique-niquer.

La voiture est devant la mairie.

2.3 « é » ou « è » ? Écoutez et classez les mots.

vous voulez – le ciné – on fait – un jouet – un dîner – jouer – du papier – du lait – parler – pique-niquer

« é »	« è »
vous voulez	

ACTIVITÉS

3 Remettez le dialogue dans l'ordre.

1. Oui, pourquoi pas, c'est une bonne idée ! _____

2. Salut Patrick ! Je vais bien, merci, et toi ? _____

3. Est-ce que tu es libre vendredi soir ? _____

4. Bonjour Muriel, comment vas-tu ? __*a*__

5. Tu veux venir au cinéma ? _____

6. Ça va très bien, merci ! _____

7. Oui, je n'ai rien de prévu, pourquoi ? _____

4 Lisez l'emploi du temps de Nico et complétez.

lundi 30 juin	*cinéma*
mardi 1er juillet	
mercredi 2 juillet	*sport*
jeudi 3 juillet	*dîner chez des amis*
vendredi 4 juillet	
samedi 5 juillet	*vélo*
dimanche 6 juillet	

Exemple : *Lundi, Nico va au cinéma.*

1. Mardi,

_____ .

2. Mercredi,

_____ .

3. Jeudi,

_____ .

4. Vendredi,

_____ .

5. Samedi,

_____ .

6. Dimanche,

_____ .

5   Formez des phrases. Plusieurs réponses sont correctes.

1. *Ça te dit*   **a.** de venir dîner à la maison ?

2. Tu veux   **b.** un pique-nique ?

3. Ça vous dit de   **c.** jouer au foot ce week-end ?

4. On fait   **d.** *de jouer aux jeux vidéo ?*

5. Vous avez envie   **e.** faire du sport samedi ?

6. Vous voulez   **f.** d'aller à la piscine ?

6   Lisez les réponses et complétez avec les questions suivantes.

On fait un pique-nique ?   Tu veux aller à la piscine ?   Rendez-vous sur la place ?
Ça te dit de faire du vélo ?   *Est-ce que tu es libre samedi après-midi ?*   Êtes-vous libres vendredi soir ?

Exemple : *Est-ce que tu es libre samedi après-midi ?*
      – *Oui, je n'ai rien de prévu.*

1. _____ ?
   – C'est une très bonne idée, j'adore le vélo !

2. _____ ?
   – Super ! J'aime beaucoup les pique-niques !

3. _____ ?
   – Oui, rendez-vous sur la place à 11h !

4. _____ ?
   – Oui, nous sommes libres vendredi soir.

5. _____ ?
   – Excellente idée ! J'aime bien nager !

7   À vous ! Vous proposez une activité à un / une ami (e) ce week-end.

Écrivez un petit dialogue comme dans la leçon.

31   Parler cinéma

(229) Tu n'aimes pas les films d'action ?

– François, **est-ce que tu veux aller au cinéma** ce week-end ?
– Oui, bonne idée !
– J'ai envie de voir un film d'action.
– Oh non, encore !
– **Tu n'aimes pas les films d'action** ?
– **Si**, mais je veux aussi voir d'autres films.
– **Qu'est-ce que** tu veux voir ?
– J'ai envie de voir une comédie romantique.
– Ah non ! Je déteste les comédies romantiques !
– On va voir un dessin animé ?
– **D'accord**, **j'aime bien les dessins animés**, je veux bien.

On le dit comme ça

– Qu'est-ce que tu veux voir ?
– J'ai envie de voir…
– Est-ce que tu veux aller au cinéma ?
– Oui, j'aime bien !
– Tu n'aimes pas les films d'action ?
– Si, j'aime beaucoup ! / – Non, je déteste !
– D'accord !

Prononcer « f » et « v »

(230) Observez et écoutez.

« f »	« v »
François	Tu veux… ?
film	J'ai envie de voir…
	On va voir… ?

Ça se passe comme ça

En France, au mois de mai, c'est le **Festival de Cannes**. Beaucoup d'acteurs et de réalisateurs présentent un film pour gagner la Palme d'or. Le Festival de Cannes est très important dans le monde du cinéma.

Parler de soi

1   **Quelle est la bonne réponse ? Écoutez le dialogue de la leçon et cochez.**

1. ☒ *François et Carine vont aller au cinéma ce week-end.*

   ☐ François et Carine vont aller au cinéma ce soir.

   ☐ François et Carine vont aller au cinéma la semaine prochaine.

2. ☐ Carine veut voir un film d'action.   **3.** ☐ François n'aime pas les films d'action.

   ☐ Carine ne veut pas aller au cinéma.   ☐ François ne veut pas aller au cinéma.

   ☐ Carine veut voir une comédie romantique.   ☐ François ne veut pas voir un film d'action.

4. ☐ François veut voir un film d'action.   **5.** Carine et François sont d'accord pour voir…

   ☐ François n'aime pas les comédies romantiques.   ☐ une comédie romantique.

   ☐ François veut voir une comédie romantique.   ☐ un film d'action.

                                                       ☐ un dessin animé.

2   **Écoutez et classez les mots.**

	1	2	3	4	5	6	7	8	9	10
« f »	X									
« v »										

3   **Associez les images aux phrases.**

1.   2.   3.

4.   5.

a. Moi je déteste les films d'horreur. ___*2*___   **b.** Carine et Victor aiment les dessins animés. _____

c. Tu aimes les comédies ? _____   **d.** Victor préfère les comédies romantiques. _____

e. Carine adore les films d'action. _____

ACTIVITÉS

(233) **4**   Qu'est-ce qu'ils aiment ? Écoutez et cochez.

	films d'horreur	dessins animés	comédies	comédies romantiques	films d'action
Sonia					
Dan					
Mehdi					
Elsa					
Édouard					

5   Répondez aux questions avec la grille de l'exercice 4.

Exemple : Sonia n'aime pas les films d'horreur ?

Si, Sonia aime ça.

1. Dan n'aime pas les comédies ?

_____ .

2. Mehdi n'aime pas les comédies romantiques ?

_____ .

3. Elsa n'aime pas les dessins animés ?

_____ .

4. Édouard n'aime pas les comédies ?

_____ .

5. Mehdi n'aime pas les films d'action ?

_____ .

6. Édouard n'aime pas les films d'horreur ?

_____ .

6 **Trouvez la bonne question.**

Exemple : *Est-ce que tu vas souvent au cinéma ?*

   Oui, je vais souvent au cinéma.

1. _____ .

Non, je n'aime pas les comédies romantiques.

2. _____ .

Oui, j'aime faire du sport.

3. _____ .

Oui, je suis disponible ce soir.

4. _____ .

Non, je ne sais pas jouer de la guitare.

5. _____ .

Oui, j'aime les sorties en famille.

6. _____ .

Si, j'aime les films d'horreur.

7. _____ .

Non, Carine et François ne sont pas d'accord pour voir une comédie romantique.

7 **À vous ! Vous voulez aller au cinéma avec un ami. Vous vous mettez d'accord. Écrivez un petit dialogue comme dans la leçon.**

_____ .
_____ .
_____ .
_____ .
_____ .
_____ .
_____ .
_____ .
_____ .
_____ .
_____ .
_____ .

32 Répondre à une invitation (1)

Vous voulez venir chez moi pour un karaoké ?

De :
Objet : karaoké samedi soir

Hello ! Vous voulez venir chez moi pour un karaoké, samedi à 19 heures ? Je fais des crêpes et vous amenez du cidre, ok ?

De :
Objet : RE:karaoké samedi soir

Hello,
Quoi de neuf Alexis ?
C'est gentil de proposer **mais** le karaoké **non merci**. Si tu veux, on peut aller faire du roller dimanche. À plus ;)
Abdoulaye

De :
Objet : RE:karaoké samedi soir

Salut Alexis !
Je suis **désolée mais je ne suis pas disponible** samedi soir. **Je ne peux pas venir** au karaoké.
Lamia

De :
Objet : RE:karaoké samedi soir

Coucou Alexis,
Ok pour le karaoké. **Pourquoi pas ?**
Bises,
Aurélie.

De :
Objet : RE:karaoké samedi soir

Bonjour Alexis !
Quelle **bonne idée ! Tu peux compter sur moi**.
À samedi !
Maxime

On le dit comme ça

Bonne idée !
Tu peux compter sur moi.
Ok. Pourquoi pas.

Désolée, mais je ne suis pas disponible.
Je ne peux pas venir.
C'est gentil mais non merci.

Prononcer « p »

 Écoutez et observez.

« p »
crêpes
je peux
il ne peut pas
participer
disponible

Ça se passe comme ça

Les « repas de crêpes » c'est délicieux. On mange des galettes ou « crêpes salées » avec du jambon, du fromage et des œufs, et pour le dessert, des crêpes sucrées avec de la confiture ou du sucre.
Avec les crêpes, on boit du cidre.

		VRAI	FAUX
1	Vrai ou faux ? Lisez les mails p. 102 et cochez.		

1. Alexis propose un karaoké dimanche. ☐ ☐

2. Maxime n'est pas disponible. ☐ ☐

3. Lamia ne peut pas venir parce qu'elle n'est pas disponible. ☐ ☐

4. Aurélie veut venir. ☐ ☐

5. Abdoulaye veut venir au karaoké et faire du roller dimanche. ☐ ☐

2 Quel mot (A ou B) contient « p » ? Écoutez et entourez A ou B.

Exemple : A/ Ⓑ

1. A / B **2.** A / B **3.** A / B **4.** A / B **5.** A / B **6.** A / B **7.** A / B

3 Observez, lisez et associez.

1. **2.** **3.** **4.**

a. faire des crêpes ___ **b.** faire un karaoké ___ **c.** faire du roller ___ **d.** apporter du cidre ___

		accepte	refuse
4	Envie de faire du roller ? Qui accepte ? Qui refuse ? Lisez et cochez.		

1. *Bonjour Paola, merci pour l'invitation mais je ne suis pas disponible samedi.* ☐ ☒
À bientôt !

2. Coucou Paola, bonne idée ! Je viens ! ☐ ☐

3. Hello Paola, merci pour la proposition. Je viens ! ☐ ☐

4. Non merci, je ne sais pas faire de roller, mais c'est gentil de proposer. ☐ ☐

5. Salut Paola. Ok pour le roller, on se retrouve où et à quelle heure ? ☐ ☐

6. Désolée Paola, samedi je ne peux pas. Amusez-vous bien ! ☐ ☐

7. Super ! Tu peux compter sur moi ! ☐ ☐

5 Lisez et répondez.

Exemple : Est-ce que tu veux aller au cinéma vendredi soir ?

non → Non merci, je ne peux pas. / oui → Bonne idée ! Avec plaisir.

1. Vous voulez dîner chez nous ce soir ? **oui** → _____

2. Ça te dit d'aller faire du vélo demain? **oui** → _____

3. Vous voulez faire un karaoké samedi ? **non** → _____

4. Tu veux venir jouer aux jeux vidéo dimanche ? **non** → _____

5. Vous voulez aller au cinéma ce week-end ? **oui** → _____

6 À vous ! Un ami vous propose d'aller au cinéma ce soir. Écrivez une réponse pour accepter ou refuser.

_____

_____ .

33 Parler de ses souhaits

 1 Au restaurant

– Vous avez choisi ?
– Oui, en entrée je **voudrais** la soupe aux oignons.
– Et comme plat ?
– Je **voudrais** le poisson.
– Vous désirez boire quelque chose ?
– Je **voudrais** un verre de vin blanc s'il vous plaît.

 2 Les vacances

– Qu'est-ce que tu veux faire pour les vacances ?
– **J'aimerais bien** passer une semaine au bord
de la mer.
– Tu veux partir à l'étranger ?
– Non, **j'aimerais** rester en France si tu es d'accord.

3 Une sortie

– Les enfants, vous voulez faire quelque chose
samedi soir ?
– Oui, **on aimerait** aller au cinéma !
– Vous voulez voir un dessin animé ?
– Oh oui ! Ce serait super !

On le dit comme ça

Je **voudrais** la soupe aux oignons / le poisson.
Je **voudrais** un verre de vin blanc s'il vous plaît.

J'aimerais bien passer une semaine au bord
de la mer.
J'aimerais rester en France.
On aimerait aller au cinéma.

Prononcer « b »

 Écoutez et observez.

« b »

Vous désirez **b**oire... ?
– du vin **b**lanc.
J'aimerais **b**ien...
– le **b**ord de mer.

Ça se passe comme ça

La destination préférée en **vacances**,
c'est souvent le bord de **mer**. Il y a
de belles plages en France, au nord,
au sud et à l'ouest. Il y a aussi plusieurs
îles françaises : la plus proche est la Corse
mais il y a aussi la Réunion, Tahiti
ou encore St-Pierre-et-Miquelon.

1   Quelle est la bonne réponse ? Écoutez les dialogues de la leçon et cochez.

Dialogue 1

1. Au restaurant la cliente commence le repas par :

☐ une salade.

☒ *une soupe.*

☐ du poisson.

2. Comme plat principal la cliente choisit :

☐ de la viande.

☐ des pâtes.

☐ du poisson.

3. Comme boisson la cliente commande :

☐ du vin blanc.

☐ du vin rouge.

☐ du coca-cola.

Dialogue 2

4. Pour les vacances l'homme aimerait aller :

☐ à la montagne.

☐ à l'étranger.

☐ au bord de la mer.

Dialogue 3

5. Samedi soir les enfants aimeraient aller :

☐ manger au restaurant.

☐ chez leurs copains.

☐ au cinéma.

2   Écoutez et répétez.

boire – blanc – bien – bord – bateau – béquille – bonhomme – biberon – bâton – bille – belle – bêtise

3   Quel mot (A ou B) contient « b » ? Écoutez et entourez A ou B.

Exemple : (A)/B

1. A / B   **2.** A / B   **3.** A / B   **4.** A / B   **5.** A / B   **6.** A / B   **7.** A / B

4   Transformez les phrases.

Exemple : Je veux de l'eau monsieur. → Je voudrais de l'eau, monsieur, s'il vous plaît.

1. Je veux une baguette, madame.

_____ .

2. Silence, les élèves !

_____ .

3. Je veux aller à la plage, maman.

_____ .

4. Je veux des frites, monsieur.

_____ .

5. Papa, je veux du gâteau au chocolat.

_____ .

6. Je veux cette jupe en gris, monsieur.

_____ .

A C T I V I T É S

5   Lisez et complétez le dialogue avec les mots suivants.

une soupe – du poisson – du vin rouge – de la viande – une salade – de l'eau – des pâtes – des frites – un dessert

– Que souhaitez-vous en entrée ?

– Je voudrais _____*une salade*___ s'il vous plaît.

– Et pour mademoiselle ?

– Je vais prendre _____ .

– Que désirez-vous comme plat ?

– Moi, je voudrais _____ avec _____.

– Et moi je voudrais _____ avec _____.

– Vous désirez boire quelque chose ?

– Oui, je voudrais _____ s'il vous plaît .

– Et moi _____ .

– Est-ce que vous souhaitez prendre _____ ?

– Non merci.

6 Où aimeraient-ils passer leurs vacances ? Lisez, observez et complétez.

Exemple : Éric, Barcelone  → *Éric aimerait passer des vacances à Barcelone.*

1. Je – au bord de la mer

_____ .

2. Francesca – à la montagne

_____ .

3. Anna – au ski

_____ .

4. Théo et Lou – à la campagne

_____ .

7 À vous ! Lisez et répondez.

1. Qu'aimeriez-vous faire ce soir ?

_____ .

2. Qu'aimeriez-vous faire ce week-end ?

_____ .

3. Qu'aimeriez-vous faire pour les vacances ?

_____ .

4. Où aimeriez-vous partir en voyage ?

_____ .

5. Que voudriez-vous manger ce soir ?

_____ .

1   Observez les photos et complétez les phrases.

1. Elle porte _____ .   **2.** Il porte_____ .   **3.** Elle portent _____ .

2   Ipad ou appareil photo ? Décrivez un de ces objets.

Exemple : J'aime le lecteur mp4, c'est utile pour écouter de la musique. C'est petit et facile à porter...

_____

_____ .

3   *J'aime / Je n'aime pas...* Complétez les phrases avec les expressions suivantes.

cuisiner, travailler, aller au cinéma, nager, danser, manger au restaurant, les animaux, les livres, faire la fête, chatter sur l'ordinateur, faire du shopping

1. J'adore _____

2. J'aime _____ .

3. Je n'aime pas _____ .

4. Je déteste _____ .

4   Qu'est-ce que vous préférez ? Complétez.

Exemple : les céréales / les tartines à la confiture – Je préfère les tartines à la confiture. J'aime moins les céréales. / J'aime plus les tartines à la confiture.

1. le poulet / le saumon : _____ .

2. les olives / les tomates : _____ .

3. les œufs au bacon / les céréales : _____ .

4. le saumon / les huîtres : _____ .

5   Qu'est-ce que vous leur offrez ? – Lisez et complétez.

Exemple : Fabienne préfère les gadgets électroniques. Cadeaux : un chat – un ordinateur – une liseuse.
– Je préfère offrir une liseuse.

1. Éric préfère manger. Cadeaux : un chien – un dîner au restaurant – un Ipad.

_____

2. Melissa préfère les animaux. Cadeaux : un livre – un poisson rouge – des fleurs.

_____

3. Sophie préfère les gadgets électroniques. Cadeaux : un livre – une tablette – des fleurs.

_____

4. Christine préfère la mode. Cadeaux : un livre – un dîner au restaurant – une robe rouge.

_____

6 Retrouvez la question.

1. Oui, j'aime bien lire. → _____ .

2. Non, je n'aime pas les romans classiques. → _____ .

3. Oui, moi aussi j'aime bien les romans d'aventure. →_____ .

4. Non, moi je n'aime pas les romans classiques, je préfère les romans historiques. → _____

_____ .

7 Formez des phrases.

Exemple : Pauline → *Pauline aime bien regarder la télévision.*

1. Édouard _____

2. Neima _____

3. Léon _____

8 Proposez à un ami :

1. de faire du vélo. → _____ .

2. d'aller au restaurant. → _____ .

3. de voir un film → _____ .

4. de faire un pique-nique. → _____ .

9 Acceptez ou refusez les propositions.

1. Tu viens dîner chez moi demain ? → _____

2. Tu viens à la piscine mercredi ? → _____

3. Tu viens faire du roller dimanche ? → _____

10 Que dites-vous dans les situations suivantes ? Lisez et complétez.

Exemple : Vous voulez une soupe (au serveur) → Je voudrais une soupe s'il vous plaît.

1. Vous voulez partir en vacances (à un ami) → _____

2. Vous voulez une salade (au serveur) → _____

3. Vous voulez aller au cinéma (à un ami) → _____ .

34

Parler de ses activités

Sortir

Qu'est-ce que tu fais comme activité ?

 1

– Paloma, **qu'est-ce que tu fais comme activité ?**
– **Je fais de la danse classique.** Et toi Paul ?
– Moi, **j'apprends la poterie** et **je joue du piano.**

 2

– **Tes enfants font des activités**, Patrick ?
– Oui, **Blandine prend des cours de boxe**
et **Benjamin fait du badminton.**

 3

– Tu vas où Baptiste ?
– **Je vais à mon cours de peinture.**

 4

– Vous parlez espagnol, Mme Pinson ?
– Oui, je me débrouille. **Je fais de l'espagnol** depuis 2 ans.

On le dit comme ça

Qu'est-ce que tu fais comme activité ?
Je fais de la danse classique / de
l'espagnol.
J'apprends la poterie.
Je joue du piano.
Je vais à mon cours de peinture.

Prononcer « p » et « b »

249 Observez et écoutez.

« p »	« b »
Paul apprend la poterie et joue du piano. Mme Pinson fait de l'espagnol	Blandine prend des cours de boxe. Benjamin fait du badminton.

Ça se passe comme ça

En France, en Belgique, en Suisse, les enfants sont libres le mercredi après-midi. Il n'y a pas de cours. Ils font souvent des activités.

1 Vrai ou faux ? Écoutez les dialogues de la leçon et cochez.   VRAI   FAUX

1. Paloma apprend l'espagnol.   ☐   ☐

2. Benjamin fait du badminton.   ☐   ☐

3. Baptiste fait de la guitare.   ☐   ☐

4. Mme Pinson parle espagnol.   ☐   ☐

2 Écoutez et classez les mots. (1 = mot 1 de la liste = *paille*).

« p » : *1,* _____ .

« b » : _____ .

3 Lisez et répondez.

Exemple : Tu fais quoi comme activité ? (danse) → Je fais de la danse.

1. Que fait Neima comme activité ? (peinture) → _____ .

2. Que fait Victor comme activité ? (espagnol) → _____ .

3. Que fait Edgar comme activité ? (badminton) → _____ .

4. Que fait Kim comme activité ? (poterie) → _____ .

4 Observez et complétez.

Exemple : Cette année j'apprends → *à jouer de la guitare.*

1. Cette année, Léa apprend → _____ .

2. Cette année, Cédric apprend →

_____ .

3. Cette année, Anya apprend → _____ .

4. Cette année, tu apprends → _____ .

5 Lisez et complétez avec le bon verbe : faire – apprendre – aller.

Exemple : Cette année je _____ du violon. → Cette année je ___fais___ du violon.

1. Tu _____ du piano, Yvan ?   2. Aujourd'hui, Patrick _____ au cours d'anglais.

3. Sabine _____ la poterie depuis septembre.   4. Les vendredis, je _____ de la danse classique.

5. Cette année, Lucie _____ à des cours de peinture.

6 À vous ! Que faites-vous comme activité ?

Cette année, je _____

_____ .

35   Parler de ses habitudes

Sortir

Vous allez souvent à la montagne ?

 1
– Comment est-ce que tu viens au bureau, Luc ?
– **Pour aller** au bureau **je prends** le bus **tous les matins**.

 2
– Vous allez souvent à la montagne, Mme Chen ?
– Oui, mon mari et moi nous allons skier
  une fois par an dans le Jura.
– Ah bon ? Comment est-ce que vous voyagez ?
– **Nous allons** à la montagne **en** voiture.

 3
– Est-ce que Chimène va beaucoup à la piscine ?
– Non, elle **ne** va **jamais** à la piscine.

 4
– Qu'est-ce que tu manges ce soir, Charles ?
– Chez moi on mange **toujours** des crêpes le mardi !

On le dit comme ça

Est-ce que Chimène va **beaucoup** à la piscine ?
Vous allez **souvent** à la montagne ?
On mange **toujours** des crêpes le mardi.
Chimène **ne** va **jamais** à la piscine.

Je prends le bus **tous les matins**.
Nous skions **une fois par an** dans le Jura.

Prononcer « j » et « ch »

 Observez et écoutez.

« j »	« ch »
le Jura	Mme Chen
Je prends le bus.	Chimène
Vous ne voyagez	Charles
jamais ?	Chez moi
On mange toujours	
des crêpes.	

Ça se passe comme ça

Dans plusieurs villes de France il y a des **vélos publics**.
Les vélos sont dans toute de la ville ; on prend un vélo
près de la maison et on le dépose près de son travail
(par exemple). C'est facile et bon pour la nature !

1   Vrai ou faux ? Écoutez les dialogues de la leçon et cochez.   VRAI   FAUX

1. Luc va au bureau en voiture.   ☐   ☐

2. M. et Mme Chen vont à la montagne en train.   ☐   ☐

3. Chimène va à la piscine deux fois par semaine.   ☐   ☐

4. Charles mange toujours des crêpes le mardi.   ☐   ☐

2   Écoutez et classez les mots (1 = mot 1 de la liste = *jaune*).

« j » : *1,* _____ .

« ch » : _____ .

3   Lisez, et complétez.

Exemple : Pour aller à la fac, Julie *prend le tramway.*

1. Pour aller au Mexique, Adrien _____ .

2. Pour aller chez ses parents, Marie _____ .

3. Pour aller chez ses amis, Églantine _____ .

4   Remettez les phrases dans l'ordre.

Exemple : tous les – Nicolas – à la – mardis – piscine. – va → Nicolas va tous les mardis à la piscine.

1. le bus – Kader – tous les – prend – matins. → _____

2. Géraldine – bibliothèque. – ne – jamais – va à la → _____

3. l'avion – Je – ans. – tous les – prends → _____

4. va – une fois – Lin – par – au ski – an. → _____

5. du sport – Paola – trois fois – fait – par semaine. → _____

_____

5   Lisez et répondez.

Exemple : Tu vas souvent au cinéma ? → Oui, je vais au cinéma une fois par semaine.

1. Tu vas souvent à la piscine ? → _____ .

2. Tu vois beaucoup tes amis ? → _____ .

3. Quand est-ce que tu as cours de français ? → _____ .

4. Tu joues beaucoup aux jeux vidéo ? → _____ .

5. Est-ce que tu fais du sport ? → _____ .

36 Décrire son emploi du temps

Quel est mon emploi du temps aujourd'hui ?

 1

– Bonjour Cathy !
– Bonjour Benjamin. **Quel est mon emploi du temps** aujourd'hui ?
– **À 10 h, vous avez une réunion** et à **16 h, vous avez rendez-vous avec** Mme Duchesne.

 2

– Salut Claire. Tu sais quels cours on a cet après-midi ?
– Bonjour Caroline. **De 13 h 30 à 15 h 30, on a Histoire** et de 16 h à 17 h, on a Mathématiques.
– Ok !

 3

– **Tu es libre mercredi soir**, Samia ?
– **J'ai cours de yoga jusqu'à 20 h** mais après je suis libre.
– **On se retrouve à la pizzeria à 20 h 30** ?
– D'accord !

On le dit comme ça

– Quel est mon emploi du temps aujourd'hui ?
– À 10 h vous avez **une réunion/un rendez-vous.**
– De 13 h 30 à 15 h 30 on a Histoire.
– J'ai cours de yoga jusqu'à 20 h.
– On se retrouve à 20 h 30 ?

Prononcer les heures

 Écoutez et observez.

« **n** » : une (h)eure
« **z** » : deux (h)eures – trois (h)eures
« **t** » : sept (h)eures – huit (h)eures
« **v** » : neuf (h)eures

Ça se passe comme ça

L'emploi du temps des Français

Activités	Temps	Activités	Temps
Manger	2 heures	Jeux et Internet	33 minutes
Dormir	8 h 30	Télévision	2 heures
Se laver	1 heure	Sport	9 minutes

ACTIVITÉS

1   Quelle est la bonne réponse ? Écoutez les dialogues de la leçon et cochez.

Dialogue 1

Exemple : Benjamin donne à Cathy son emploi du temps :

☐ *pour la matinée.*   ☐ *pour la semaine.*   ☒ *pour la journée.*

Dialogue 1

1.   ☐ Cathy a beaucoup de temps libre aujourd'hui.

☐ Cathy est libre cet après-midi.

☐ Cathy a des rendez-vous le matin et l'après-midi.

Dialogue 2

2.   Caroline donne à Claire l'emploi du temps pour :

☐ la matinée.   ☐ l'après-midi.   ☐ la journée.

3.   Caroline et Claire ont cours de :

☐ 13 h 30 à 17 h.   ☐ 13 h à 17 h.   ☐ 13 h 30 à 17 h 30.

Dialogue 3

4.   Samia a cours de yoga jusqu'à :

☐ 19 h.   ☐ 20 h.   ☐ 21 h.

5.   Samia et Chloé ont rendez-vous à :

☐ 20 h 30.   ☐ 20 h.   ☐ 19 h 30.

2   Lisez et notez le son.

Exemple : Treize heures → Z

une heure → _____   neuf heures → _____   quatre heures → _____

dix heures → _____   cinq heures → _____   vingt heures → _____

3   Quelle est la bonne réponse ? Écoutez et entourez.

1. Je déjeune avec Lucie à   `00:15`   `12:15` .

2. Le film est à   `19:45`   `20:15` .

3. Le cours commence à   `09:55`   `10:05` .

4. Rendez-vous à la sortie du métro à   `17:50`   `18:10` .

5. Le bar ferme à   `12:00`   `00:00` .

6. J'ai une réunion à   `11:30`   `10:30` .

A C T I V I T É S

4 Lisez et formez des phrases.

Exemple : *Claudia – cours de tennis – mardi – 10 h à 12 h*
         → Claudia a cours de tennis mardi de 10 h à 12 h.

1. Rodrigue – rendez-vous au cinéma – jeudi – 19h

_____ .

2. Matisse – une réunion – lundi – 14 h

_____ .

3. Elisabeth – cours de français – mardi – 16 h à 18 h

_____

4. Paul – rendez-vous chez le dentiste – mercredi – 17 h 30

_____ .

5. Souad – rendez-vous au restaurant – vendredi – 20 h 15

_____ .

 5 Écoutez et complétez.

1. Virgile

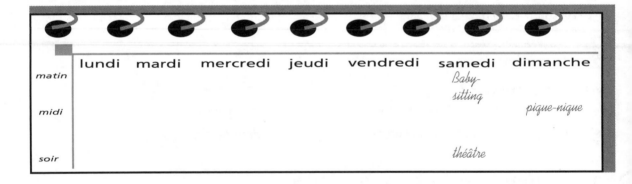

	lundi	mardi	mercredi	jeudi	vendredi	samedi	dimanche
matin						*Baby-sitting*	
midi							*pique-nique*
soir						*théâtre*	

2. Émeric

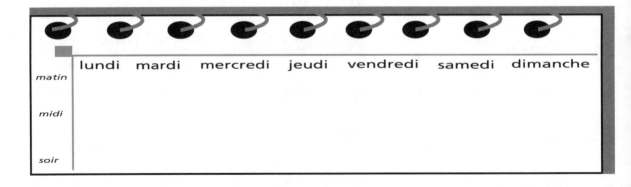

	lundi	mardi	mercredi	jeudi	vendredi	samedi	dimanche
matin							
midi							
soir							

→

3. Linda

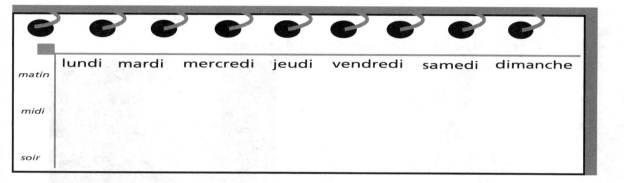

4. Cécile

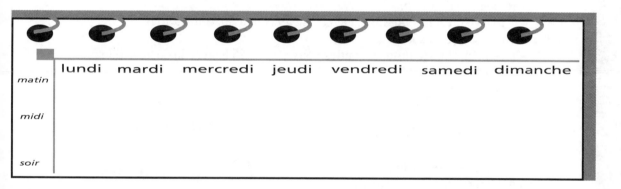

6   À vous ! Quel est votre emploi du temps pour la semaine ? Écrivez au moins 4 phrases.

Exemple : Lundi j'ai une réunion à 17 h ; mardi j'ai cours de français de 18 h à 20 h ; samedi j'ai rendez-vous à la piscine avec Pascale à 10 h ; dimanche je déjeune chez mes parents à 12 h 30.

Prendre rendez-vous

274 Bonjour, je voudrais prendre rendez-vous...

– Bonjour, je voudrais **prendre rendez-vous** avec le docteur Guetz.
– Bonjour, nous avons de la place jeudi. À **quelle heure** êtes-vous **disponible** ?
– **Je peux** venir à 14 h.
– À 14 h **ce n'est pas possible**. Est-ce que **vous pouvez venir à** 15 h ?
– Oui, à 15 h **je suis libre**.
– Très bien, alors **je note un rendez-vous,** jeudi à 15 h, avec le docteur Guetz.
  Quel est votre nom ?
– Gontran. G-O-N-T-R-A-N.

On le dit comme ça

Je voudrais prendre rendez-vous...
À quelle heure êtes-vous **disponible** ?
À 14 h, **ce n'est pas possible**.
Est-ce que **vous pouvez venir à**... ?
Oui, **je suis libre**.
Je **note un rendez-vous,** jeudi à 15 h.

Prononcer « g » et « k »

275 Observez et écoutez.

« k »	« g »
À quelle heure êtes-vous disponible ?	M. Gontran
	le docteur Guetz
14 h = quatorze heures	
Est-ce que... ?	
15 h = quinze heures	

Ça se passe comme ça

Le quart d'heure « académique »

En France, pour un rendez-vous entre amis, à 10 h par exemple, il faut souvent comprendre **entre 10 h et 10 h 15** et parfois même entre **10 h et 10 h 30**.
Mais les Français ne sont pas toujours en retard ! Ils arrivent à l'heure à un rendez-vous professionnel par exemple.

A C T I V I T É S

1 Vrai ou faux ? Écoutez le dialogue de la leçon et cochez.

	VRAI	FAUX
1. L'assistante dit : « Il y a de la place vendredi. »	☐	☐
2. M. Gontran peut venir à 11 h.	☐	☐
3. L'assistante propose un rendez-vous à 16 h.	☐	☐
4. L'assistante note un rendez-vous jeudi à 15 h.	☐	☐

2 Écoutez et classez les mots (1 = mot 1 de la liste = *cannelle*).

« g » : _____ .

« k » : *1,* _____ .

3 Lisez et remettez le dialogue dans l'ordre.

1. 17 h ce n'est pas possible, mais je suis disponible à 18 h. _____

2. Bonjour Mme Dompain. Est-ce que 17 h c'est possible pour vous ? _____

3. Alors je note un rendez-vous mardi à 18 h. _____

4. Bonjour, je suis Mme Dompain. Je voudrais prendre rendez-vous pour mardi. ____*a*____

5. Très bien, merci. Au revoir. _____

4 Lisez et répondez.

Exemple : *Est-ce que tu peux venir samedi à 17 h ? (non / pas disponible)*

→ Non, je ne peux pas venir samedi à 17 h, je ne suis pas disponible.

1. Bonjour, je voudrais prendre rendez-vous mercredi à 14 h. (oui / possible)

_____ .

2. Tu peux venir déjeuner dimanche à midi ? (oui / libre)

_____ .

3. Elle peut venir au cinéma demain à 20 h 30 ? (non / pas possible)

_____ .

4. On peut faire une réunion demain à 16 h ? (non / pas libre)

_____ .

5 Écoutez les dialogues et notez le rendez-vous.

1. _____ *piscine demain 13 h 30* _____ . **2.** _____ .

3. _____ . **4.** _____ .

5. _____ . **6.** _____ .

6 À vous ! Vous voulez prendre rendez-vous chez le dentiste. Vous téléphonez à la secrétaire. Écrivez un petit dialogue.

_____

_____

_____

Faire les courses (1)

Voici la **liste de courses** de Jonathan :

au supermarché	au marché
des œufs	des pommes
du fromage	des carottes
de la lessive	du persil
de l'eau minérale	du pain

(279) **Au marché**

– Bonjour monsieur, **je voudrais des pommes s'il vous plaît**.
– Oui, combien ?
– 5, s'il vous plaît.
– Et avec ceci ? *(anything else)*
– Je voudrais **des** carottes, 3 ou 4.
– Ce sera tout ? → *will that be all*
– Non, je voudrais **du** persil.
– C'est bon comme ça ?
– **Un peu plus de persil** s'il vous plaît ;
voilà, très bien.

On le dit comme ça

Je voudrais des pommes, du persil s'il vous plaît.
Je voudrais… un peu plus de persil.

des carottes

plus de carottes

moins de carottes

Ça se passe comme ça

Au marché, le dimanche matin, on peut acheter des
produits frais (des fruits et des légumes par exemple) ;
des fleurs et parfois aussi, des vêtements.

1 Vrai ou faux ? Lisez les textes p. 120 et cochez.

	VRAI	FAUX
1. Jonathan fait les courses au marché et au supermarché.	☒	☐
2. Jonathan doit acheter de la lessive.	☒	☐
3. Jonathan doit acheter de la viande.	☐	☒
4. Au marché, Jonathan achète des fruits et des légumes.	☐	☒
5. Au marché, Jonathan achète du poisson.	☐	☒

2 Observez les photos et complétez la liste de courses de Christina.

Exemple : *du poisson* .

2. *du persil* .

3. *du chocolat* .

4. *des œufs* .

5. *de la viande* .

6. *des pommes* .

3 Lisez et complétez les phrases avec : du, de la, de l', des.

1. Bonjour monsieur, je voudrais _____*des*_____ tomates s'il vous plaît.

2. À 16 h, je mange _____*du*_____ gâteau au chocolat.

3. Elsa mange _____*du*_____ poisson une fois par semaine.

4. Eliot boit *de l'* eau.

5. J'aime mettre *de la* confiture sur mes tartines.

4 À vous ! Vous allez au marché pour acheter des fruits et des légumes. Complétez le dialogue.

Vendeur : Les tomates coûtent 1,50 € le kilo.
Vous : _D'accord, je voudrais deux kilos_ .
Vendeur : Et avec ceci ?
Vous : _Je voudrais des pommes de terre_ .
Vendeur : Oui, combien ?
Vous : _Dix, s'il vous plaît_ .
Vendeur : Ce sera tout ?
Vous : _Oui, c'est tout_ .

38 Faire les courses (2)

280 1 À la boulangerie

– Bonjour madame, je voudrais un pain
de campagne s'il vous plaît.
– Voilà madame. 2,10 € s'il vous plaît.
– Je vous donne un billet de 20 €.
– Merci, et **voici votre monnaie**.

281 2 À la boucherie

– Bonjour monsieur, **combien coûte
un poulet ?**
– **Les poulets coûtent 13 €.**
– Très bien, je voudrais un poulet s'il vous plaît.

282 3 À la fromagerie

– Bonjour monsieur, je vais prendre
2 Saint-Nectaire et… **Combien coûte
le gruyère ?**
– **Le gruyère coûte 17 € le kilo.**
– Je vais prendre 300 grammes de gruyère
s'il vous plaît.

On le dit comme ça

• Pour acheter…
– du pain, je vais à la **boulangerie**.
– de la viande, je vais à la **boucherie**.
– du fromage, je vais à la **fromagerie**.
• **Combien coûte un poulet ?**
Les poulets coûtent 13 €.
• **Combien ça coûte ?**
Le gruyère coûte 17 € le kilo.
• **Je vais prendre…**
• **Voici votre monnaie.**

« on », « en », « un » et « eu »

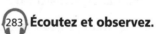

283 Écoutez et observez.

« **on** », « **en** », « **un** », « **eu** »
À la boulangerie

Bonjour, je vais prendre **un pain** de
campagne. Je vous donne un billet de
vingt euros.

ACTIVITÉS

1   Vrai ou faux ? Écoutez les dialogues de la leçon et cochez.

	VRAI	FAUX
Dialogue 1 : 1. À la boulangerie la cliente achète du pain.	☐	☐
2. Le pain de campagne coûte 2,20 €.	☐	☐
Dialogue 2 : 1. À la boucherie le client achète un poulet.	☐	☐
2. Le poulet coûte 11 €.	☐	☐
Dialogue 3 : 1. À la fromagerie la cliente achète 2 Saint-Nectaire.	☐	☐
2. Le gruyère coûte 25 € le kilo.	☐	☐

2   Écoutez et classez les mots. (1 = mot = *prendre*).

« on » : _____ .   « un » : _____ .

« en » : ___ *1,* _____ .   « eu » : _____ .

3   Associez les phrases à l'image.

1. La caissière rend la monnaie. _*e*_   2. Pour acheter de la viande je vais à la boucherie. __

3. Je vais à la boulangerie acheter une baguette. __   4. Marianne achète des fruits au marché. ___

5. La fromagerie est fermée le lundi. ___

a   b

c   d   e

4   Remettez les phrases dans l'ordre.

Exemple :   voudrais – je – s'il vous plaît. – Saint-Nectaire – un – Bonjour,

→ Bonjour, je voudrais un Saint-Nectaire s'il vous plaît.

1. coûte – le – Combien – pain de campagne ? _____

2. je – s'il vous plaît. – un fromage de chèvre – Bonjour – voudrais _____

3. de gruyère – 22 €. – coûte – Le kilo _____

4. un steak – Bonjour, – s'il vous plaît. – voudrais – je _____

5. monnaie. – Voici – votre _____

39 Inviter

Sortir

À samedi !

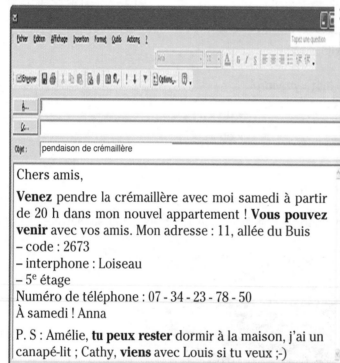

Fichier Édition **Affichage** Insertion Format Outils Actions ?

Tapez une question

Arial · 10 · A G / S 📄 📄 📄 📄

Envoyer 🖫🖨 ✂🗐🗎 🖉 🔓 ! ↓ ▼ 📄 Options... 🔳

À... |

Cc... |

Objet : | pendaison de crémaillère

Chers amis,

Venez pendre la crémaillère avec moi samedi à partir de 20 h dans mon nouvel appartement ! **Vous pouvez venir** avec vos amis. Mon adresse : 11, allée du Buis
– code : 2673
– interphone : Loiseau
– 5e étage
Numéro de téléphone : 07 - 34 - 23 - 78 - 50
À samedi ! Anna

P. S : Amélie, **tu peux rester** dormir à la maison, j'ai un canapé-lit ; Cathy, **viens** avec Louis si tu veux ;-)

On le dit comme ça

Vous pouvez venir avec vos amis.
→ **Venez** avec vos amis.
Tu peux venir... → **Viens**...
Tu peux rester dormir à la maison.
→ Reste dormir à la maison.

Prononcer « ui », « oui » et « oi »

(288) **Observez et écoutez.**

« ui »   « oui »
je suis, fruits, buis   Louis
« oi »
Loiseau, moi, boissons, voisins

Ça se passe comme ça

Pour fêter l'arrivée dans un nouveau logement on **pend la crémaillère** : on invite les amis et la famille à découvrir la nouvelle maison. Les invités apportent parfois un petit cadeau, des boissons et de la nourriture.

A C T I V I T É S

		VRAI	FAUX
1	**Vrai ou faux ? Lisez le mail p. 124 et cochez.**		

1. Anna s'installe dans un nouvel appartement. ☐ ☐
2. Les invités d'Anna doivent venir seuls. ☐ ☐
3. Amélie peut rester dormir. ☐ ☐
4. Anna habite maintenant au 11, allée des fleurs. ☐ ☐
5. La fête a lieu le vendredi soir. ☐ ☐

2 **Écoutez et classez les mots (1 = mot 1 = *je suis*).**

« ui » : ___*1*_____ .

« oui » : _____ .

« oi » : _____ .

3 **Lisez et complétez.**

Exemple : Vous pouvez venir avec des amis → Venez avec des amis !

1. Tu peux apporter à boire. → _____ .
2. Vous pouvez venir à partir de 21 h. → _____ .
3. Tu peux faire un gâteau. → _____ .
4. Vous pouvez appeler en cas de problème. → _____ .
5. Vous pouvez apporter de la musique. → _____ .

4 **Lisez et complétez.**

Exemple : Viens travailler chez moi. → Tu peux venir travailler chez moi.

1. Va te coucher si tu es fatigué. → _____ .
2. Prends un taxi pour rentrer. → _____ .
3. Venez à ma fête samedi soir. → _____ .
4. Prenez le métro pour aller plus vite. → _____ .
5. Rentrez directement à la maison. → _____ .

5 **À vous ! Vous envoyez un mail à vos amis pour les inviter à une fête.**

Super ! J'ai mon diplôme.
Venez fêter avec moi !
Je vous invite vendredi soir
à 20 h. Apportez à boire !
Et invitez vos amis !

_____

_____

_____

_____

_____

40 Répondre à une invitation (2)

Merci pour l'invitation !

Coucou Anna,
Félicitations pour le nouvel appartement et merci pour l'invitation, **j'accepte avec plaisir**. Je peux venir avec Xavier ?
Bises, *Axelle*

Anna,
Je viens à ta petite fête bien sûr ! Et j'accepte aussi de dormir sur ton canapé-lit ☺ ! **Je dois passer chez moi avant, je pense arriver vers 21 h**. Bisous, et à samedi !
Amélie

Chère Anna,
Je suis désolé, je ne peux pas venir ; **je ne suis pas libre** samedi soir ; mais tu habites maintenant à exactement 5 minutes de chez moi ! Alors à bientôt !
Ibrahim

Hello Anna,
Quel dommage ! Je ne suis pas là ce week-end, je pars à Rome. On se voit la semaine prochaine ? Amusez-vous bien !
Manon

On le dit comme ça

- J'accepte avec plaisir. / Je viens à ta petite fête bien sûr !
- Je pense arriver vers…
- À samedi / à ce soir / à bientôt !
- Je suis désolé, je ne peux pas venir. Je ne suis pas libre.
- Quel dommage ! Je ne suis pas là ce week-end.

Prononcer « ks », ou « gz »

(290) **Écoutez et observez.**

« ks »	« gz »
J'accepte	Xavier
excellente nouvelle	
Axelle	exactement

Ça se passe comme ça

On répond toujours (oui ou non) à une invitation. Pour un mariage, il faut répondre au moins un mois à l'avance.
Pour une fête d'anniversaire, on répond au moins une semaine à l'avance et pour un dîner deux ou trois jours à l'avance.

Invitation

1   **Vrai ou faux ? Lisez les mails p. 126 et cochez.**

	VRAI	FAUX
1. Axelle veut venir à la soirée avec Xavier.	☐	☐
2. Ibrahim accepte l'invitation d'Anna.	☐	☐
3. Anna et Ibrahim sont maintenant voisins.	☐	☐
4. Amélie vient samedi à 20 h.	☐	☐
5. Amélie accepte de dormir chez Anna.	☐	☐
6. Manon ne peut pas venir à la pendaison de crémaillère.	☐	☐

2   **Lisez, écoutez et classez les mots.**

Xavier – xylophone – exquis – exactement – accident – examen – exclu – exagérer

« ks » : _____ .

« gz » : _____ *Xavier,* _____ .

3   **Lisez et complétez les phrases avec les mots de la liste.**

pense arriver – à demain – désolé – dommage – Quelle – l'invitation

Exemple : Je suis ___désolé___ , je ne suis pas libre demain.

1. _____ bonne idée ! Je viens.

2. Je _____ vers 19 h.

3. Quel _____ ! Je ne suis pas là ce week-end.

4. Merci pour _____ , mais je ne peux pas.

5 Très bien, alors _____ !

4   **Que font-ils ? Écoutez et complétez (accepte/refuse).**

1. Coline _accepte._____   **2.** Ronan _____   **3.** Charlotte _____

4. Delphine _____   **5.** Rémi _____   **6.** Pascale _____

5   **Lisez et reliez.**

1. J'organise une soirée samedi, tu viens ?   **a.** Ce soir je ne peux pas, j'ai du travail.

2. Venez dîner chez moi mardi !   **b.** Ok, nous pensons être là vers 13 h 15.

3. Tu viens chez moi après les cours ?   **c.** Désolée, je suis déjà prise samedi soir.

4. Je vous attends dimanche à 13 h.   **d.** Ok, mardi c'est bon.

5. On va manger chinois ce soir ? Je t'invite.   **e.** Après les cours je suis pris... à 18 h ?

6   **Acceptez ou refusez les invitations de vos amis.**

1. Tu viens à ma soirée samedi ? _____ .

2. Tu viens déjeuner chez moi dimanche ? _____ .

3. Tu viens dîner à la maison jeudi ? _____ .

B I L A N   N ° 4

1 Complétez les phrases avec les verbes suivants.

prends – prend – faites – apprend – fait

1. Karim _____ l'espagnol.

2. Zoé _____ du piano.

3. Fatou _____ des cours de danse classique.

4. Vous _____ de la poterie ?

5. Je _____ des cours de guitare.

2 Lisez et répondez.

1. Comment est-ce que tu viens au travail ?

_____

2. Comment est-ce que tu viens au cours de français ?

_____

3. Tu vas souvent au cinéma ?

_____

4. Tu fais souvent du sport ?

_____

5. Tu vois souvent tes amis ?

_____

3 Écoutez et écrivez.

293

Exemple : 11 h 45

1. _____ **2.** _____ **3.** _____

4 _____ **5.** _____

4 Lisez l'agenda de Baya et décrivez son emploi du temps.

	Lundi 30 juin
10 h –11 h	*réunion*
11 h 30	*rendez-vous avec M. Lamy*
13 h	*déjeuner avec Céline*
17 h – 19 h	*cours de dessin*
20 h 15	*ciné avec Nico*

Lundi, Baya a une réunion de 10 h à 11 h. _____

_____

_____

_____

128 • cent vingt-huit

5   Lisez les réponses et retrouvez la question.

1. _____ ?

Bonjour Madame Schulz, nous avons de la place lundi.

2. _____ ?

Je peux venir à 10 h.

3. _____ ?

Oui, à 11 h 30 je suis disponible.

4. _____ ?

D'accord, à 11 h 30 lundi. Merci, au revoir.

6   Vous faites les courses. Qu'est-ce que vous dites ?

Exemple : Acheter des tomates au marché → Bonjour, je voudrais des tomates, s'il vous plaît.

1. Acheter un poulet à la boucherie → _____

2. Acheter une baguette à la boulangerie → _____

3. Acheter du gruyère à la fromagerie → _____

4. Acheter des tomates chez le primeur → _____

7   Lisez et complétez le mail avec les expressions suivantes.

Répondez – Vous pouvez venir – Bises – fête – Apportez – samedi

Bonjour tout le monde !

Je __ *fête* __ mon anniversaire _____.

_____ à partir de 20 h avec des amis.

_____ des boissons et de la musique !

_____ vite !

_____, Maya.

8   Écrivez les réponses.

Exemple : Adrien accepte → Salut Maya ! Tu peux compter sur moi. À samedi !

1. Stéphanie n'est pas libre. _____

2. Caroline accepte. _____

3. Mathieu vient vers 22 h. _____

4. Clara n'est pas disponible. _____

Auto-évaluation

Prendre contact

Fiche 1 : Saluer

	facile	difficile	trop difficile
Pour moi c'est...	☐	☐	☐

Fiche 2 : Se présenter

	facile	difficile	trop difficile
Pour moi c'est...	☐	☐	☐

Fiche 3 : Donner son adresse

	facile	difficile	trop difficile
Pour moi c'est...	☐	☐	☐

Fiche 4 : Donner son numéro de téléphone

	facile	difficile	trop difficile
Pour moi c'est...	☐	☐	☐

Fiche 5 : Donner sa nationalité

	facile	difficile	trop difficile
Pour moi c'est...	☐	☐	☐

Fiche 6 : Dire son métier

	facile	difficile	trop difficile
Pour moi c'est...	☐	☐	☐

Fiche 7 : Présenter sa famille proche

	facile	difficile	trop difficile
Pour moi c'est...	☐	☐	☐

Fiche 8 : Interroger sur l'identité

	facile	difficile	trop difficile
Pour moi c'est...	☐	☐	☐

Fiche 9 : Interroger sur la nationalité

	facile	difficile	trop difficile
Pour moi c'est...	☐	☐	☐

Fiche 10 : S'excuser

	facile	difficile	trop difficile
Pour moi c'est...	☐	☐	☐

Fiche 11 : Tutoyer ou vouvoyer

	facile	difficile	trop difficile
Pour moi c'est...	☐	☐	☐

Parler des lieux

Fiche 12 : Demander son chemin

	facile	difficile	trop difficile
Pour moi c'est...	☐	☐	☐

Fiche 13 : Dire où l'on est

	facile	difficile	trop difficile
Pour moi c'est...	☐	☐	☐

Fiche 14 : Dire où l'on va

	facile	difficile	trop difficile
Pour moi c'est...	☐	☐	☐

Fiche 15 : Interroger sur une origine

	facile	difficile	trop difficile
Pour moi c'est...	☐	☐	☐

Fiche 16 : Situer un objet

	facile	difficile	trop difficile
Pour moi c'est...	☐	☐	☐

Fiche 17 : Décrire une ville

	facile	difficile	trop difficile
Pour moi c'est...	☐	☐	☐

Fiche 18 : Décrire un quartier

	facile	difficile	trop difficile
Pour moi c'est...	☐	☐	☐

Fiche 19 : Décrire une région

	facile	difficile	trop difficile
Pour moi c'est...	☐	☐	☐

Fiche 20 : Demander des renseignements touristiques

	facile	difficile	trop difficile
Pour moi c'est...	☐	☐	☐

Fiche 21 : S'informer sur un appartement

	facile	difficile	trop difficile
Pour moi c'est...	☐	☐	☐

Fiche 22 : S'informer pour acheter

	facile	difficile	trop difficile
Pour moi c'est...	☐	☐	☐

Parler de soi

Fiche 23 : Décrire les vêtements

Pour moi c'est...

facile	difficile	trop difficile
☐	☐	☐

Fiche 24 : Parler de ses goûts

Pour moi c'est...

facile	difficile	trop difficile
☐	☐	☐

Fiche 25 : Décrire les objets

Pour moi c'est...

facile	difficile	trop difficile
☐	☐	☐

Fiche 26 : Parler des repas

Pour moi c'est...

facile	difficile	trop difficile
☐	☐	☐

Fiche 27 : Exprimer ses préférences

Pour moi c'est...

facile	difficile	trop difficile
☐	☐	☐

Fiche 28 : Interroger sur les goûts et les préférences

Pour moi c'est...

facile	difficile	trop difficile
☐	☐	☐

Fiche 29 : Parler de ses loisirs

Pour moi c'est...

facile	difficile	trop difficile
☐	☐	☐

Fiche 30 : Proposer une activité

Pour moi c'est...

facile	difficile	trop difficile
☐	☐	☐

Fiche 31 : Parler cinéma

Pour moi c'est...

facile	difficile	trop difficile
☐	☐	☐

Fiche 32 : Répondre à une invitation (1)

Pour moi c'est...

facile	difficile	trop difficile
☐	☐	☐

Fiche 33 : Parler de ses souhaits

Pour moi c'est...

facile	difficile	trop difficile
☐	☐	☐

Sortir

Fiche 34 : Parler de ses activités

	facile	difficile	trop difficile
Pour moi c'est...	☐	☐	☐

Fiche 35 : Parler de ses habitudes

	facile	difficile	trop difficile
Pour moi c'est...	☐	☐	☐

Fiche 36 : Décrire son emploi du temps

	facile	difficile	trop difficile
Pour moi c'est...	☐	☐	☐

Fiche 37 : Prendre rendez-vous

	facile	difficile	trop difficile
Pour moi c'est...	☐	☐	☐

Fiche 38 : Faire les courses

	facile	difficile	trop difficile
Pour moi c'est...	☐	☐	☐

Fiche 39 : Inviter

	facile	difficile	trop difficile
Pour moi c'est...	☐	☐	☐

Fiche 40 : Répondre à une invitation (2)

	facile	difficile	trop difficile
Pour moi c'est...	☐	☐	☐

Index

Prendre contact

– Bonjour !
– Coucou !
– Salut !
– Comment allez-vous ?
– Comment ça va ? / Ça va ?
– Tu vas bien ?
– Ça va bien, merci. / Pas mal, merci.
– Bien ! Et vous ? / Très bien, merci.
– Super ! Et toi ?

– Quel est votre nom ?
– Je m'appelle… / Je suis… / Moi, c'est…
– Mon nom est…
– Mon prénom est…
– Épeler son nom.

– Quelle est votre adresse ?
– J'habite… rue / avenue / boulevard… à…
– Quel est votre code postal ?
– C'est…

– Quel est ton numéro de téléphone ?
– C'est le…
– C'est ça ?
– Et toi ?

– Quelle est votre / ta nationalité ?
– Je suis + *nationalité*. = Je suis canadien. / Je suis canadienne.
– Il est chinois. / Elle est chinoise.

6. Dire son métier 20

- Quelle est votre profession ?
- Quel est ton métier ?
- Qu'est-ce que tu fais comme métier / travail ?
- Qu'est-ce que tu fais dans la vie ?
- Je suis + *profession*.= Je suis chanteur. / Je suis chanteuse.
- Je suis acteur. / Je suis actrice.

7. Présenter sa famille 24

- C'est ma famille.
- Voici mes parents.
- Ce sont grands-parents.

8. Interroger sur l'identité 28

- Comment tu t'appelles ?
- Quel est ton nom ? / Quel est ton prénom ?
- Tu habites où ? / Quelle est ton adresse ?
- Quelle est ton adresse mail ?
- Quel est ton numéro de téléphone ?

9. Interroger sur la nationalité 30

- Quelle est ta / sa nationalité ?
- Il est d'où ?
- Il parle français ?

10. S'excuser et demander de répéter 32

- Excusez-moi !
- Pardon madame ! / Pardon monsieur !
- Je suis vraiment désolé(e) !
- Je vous en prie !
- Ce n'est pas grave !
- Ce n'est rien.
- Je regrette.
- Vous pouvez répéter s'il vous plaît ?
- Je n'ai pas compris.
- Je ne comprends pas.

– Rose, tu veux de la salade ? *(entre amis)*
– Excusez-moi, monsieur, vous avez l'heure s'il vous plaît ? *(dans la rue)*
– Monsieur, vous pouvez expliquer cette situation s'il vous plaît? *(à son professeur, en France).*

Parler des lieux

– Pardon madame, je cherche la gare s'il vous plaît ?
– Excusez-moi, pour aller place Bellecourt s'il vous plaît ?
– Vous traversez...
– Vous tournez à droite / à gauche.
– Vous continuez tout droit.
– Vous prenez la première rue à droite.
– C'est le deuxième magasin.
– La gare est devant vous.
– C'est à côté.
– Derrière le théâtre ?
– Où se trouve... ?
– C'est bien dans cette direction ?

– Je suis à Paris / à Québec.
– C'est au nord / au sud / à l'est / à l'ouest.
– J'habite au sud de la ville dans le quartier Montcalm.
– Entre la maison verte et la maison jaune.
– Il y a le lac Saint-Jean.
– Je suis vers l'Hôtel de Ville.
– Attends-moi sur la place / à côté du métro.

– Tu vas où ?
– Je vais à l'aéroport.
– Je vais à Marseille.
– Tu vas à la plage ?
– Je vais au musée.
– Je vais au cinéma.

15. Interroger sur une origine **52**

- D'où vient le train ?
- Le train vient de Montpellier.
- Le fromage d'Auvergne, de la région de...
- Vous venez d'où ? / Vous êtes d'où ?
- Je viens de Toronto.
- Nous venons de Lausanne.
- Laure vient de l'ouest de la France.
- Je suis du nord de la France.
- Audrey et Cécile viennent de Lausanne.

16. Situer un objet **56**

- Où est le stylo ?
- Le voilà.
- Il est là, sous / sur la table.
- Le stylo est derrière le livre.

17. Décrire une ville **58**

- La ville est célèbre pour...
- Près de la gare Matabiau se trouve le Capitole.
- Sur la place se trouve...
- En face de la mairie, il y a des cafés.
- La gare se trouve...
- Dans le quartier moderne, on trouve...
- Vous connaissez la cathédrale d'Albi ?
- Je connais la cathédrale d'Albi.

18. Décrire un quartier **62**

- La piscine est à gauche / à droite.
- Rendez-vous devant le cinéma.
- Je vous attends devant la médiathèque.
- Je suis à côté du magasin.
- Je vais à la fac en bus / en train / en voiture / en moto.
- Je vais à la piscine à pied / à vélo / à moto.

19. Décrire une région **66**

- Cette région est magnifique.
- Cette ville est célèbre.
- Ce monument est célèbre.
- Ces villes sont très touristiques.
- Il y a tout !
- Il y a la montagne / les villes / la campagne / la mer.

– Excusez-moi....
– Où est... ?
– Quand est-ce que c'est ouvert ?
– Combien ça coûte ?
– Qu'est-ce que c'est ?

– Nous sommes une colocation de...
– Nous habitons une maison / un appartement.
– Nous cherchons...
– La salle de bains est commune / individuelle.
– La chambre / L'appartement est disponible immédiatement.

– Comment faire pour voyager ?
– Qu'est-ce que c'est... ?
– C'est pour quoi ?
– Combien coûte... ?
– Où est-ce qu'on achète... ?

Parler de soi

– Elle porte un manteau noir.
– C'est joli !
– J'aime beaucoup ton costume gris ! La veste te va très bien.
– Je n'aime pas ton pull vert. C'est laid !
– Je déteste tes chaussures orange !

– Qu'est-ce que vous aimez ?
– Je déteste... les films violents.
– Je n'aime pas... la télé.
– J'aime bien... les animaux.
– J'aime beaucoup... nager.
– J'adore... faire la cuisine.

25. Décrire les objets.. 82

– Voici mon nouveau smartphone. / Voici ma nouvelle tablette.
– Il est neuf ton smartphone ? / Elle est neuve ta tablette ?
– Il est super ! / Elle est facile / rapide à utiliser.
– Mais il est un peu cher. / Elle est un peu chère.
– Il est beau ! / Elle est belle !

26. Parler des repas.. 84

– J'aime / J'adore le poulet, le saumon, le riz...
– Je n'aime pas la viande.
– Tu prends du poulet et du riz ?
– Je prends une salade de tomates et du poisson.
– Je prends / mange des olives, des frites, des pâtes..

27. Exprimer ses préférences 86

– J'adore les animaux, en particulier les chats.
– J'adore les animaux comme les chats, les chiens, les hamsters...
– J'aime les chiens. Mais je préfère les chats.
– J'aime les chiens. Mais j'aime encore plus les chats.
– J'adore les chats. J'aime moins les chiens.

28. Interroger sur les goûts et les préférences 88

– Tu aimes... ?
– Qu'est-ce que tu aimes ?
– Qu'est-ce que tu préfères ?
– J'aime...
– Moi, je n'aime pas...
– Moi, je préfère...
– Moi aussi j'aime...
– Je lis un roman...

29. Parler de ses loisirs... 90

– On va au cinéma ?
– Je vais à la piscine.
– Tu fais de la musique ?
– Je joue du piano.
– Tu fais quoi après les cours ?
– Je regarde la télévision.
– Je surfe sur Internet.
– Je joue aux jeux vidéo.
– Tu fais du sport ?
– Je joue au tennis.

Index

– Est-ce que tu es libre ? / Êtes-vous libres ?
– Je n'ai rien de prévu. = Je suis libre
– Ça te dit de faire du vélo ? / Vous voulez... faire du vélo ?
– On fait un pique-nique ?
– Rendez-vous à 10 h devant le café.

– Tu aimes les dessins animés ?
– Oui, j'aime bien ça !
– Non, je n'aime pas trop !
– Tu n'aimes pas les films d'action ?
– Si, j'aime beaucoup ça !
– Non, je n'aime pas ça !
– Est-ce que tu veux aller au cinéma ?
– D'accord !
– Qu'est-ce que... tu veux voir ?

– Bonne idée !
– Tu peux compter sur moi.
– Ok. Pourquoi pas.
– Désolé mais je ne suis pas disponible.
– Je ne peux pas venir.
– C'est gentil mais non merci.

– Je voudrais... la soupe aux oignons. / le poisson. / un verre de vin blanc s'il vous plaît.
– J'aimerais bien passer une semaine au bord de la mer.
– J'aimerais rester en France.
– On aimerait aller au cinéma.

Sortir

> – Qu'est-ce que tu fais comme activité ?
> – Je fais de la danse classique. / de l'espagnol.
> – J'apprends la poterie.
> – Je joue du piano.
> – Je vais à mon cour de peinture.

> – Est-ce que Chimène va beaucoup à la piscine ?
> – Vous allez souvent à la montagne ?
> – On mange toujours des crêpes le mardi.
> – Chimène ne va jamais à la piscine.
> – Je prends le bus tous les matins.
> – Nous skions une fois par an dans le Jura.

> – Quel est mon emploi du temps aujourd'hui ?
> – À 10 h vous avez une réunion / un rendez-vous.
> – De 13 h 30 à 15 h 30 on a Histoire.
> – J'ai cours de yoga jusqu'à 20 h.
> – On se retrouve à la pizzeria à 20 h 30.

> – Je voudrais prendre rendez-vous.
> – À quelle heure êtes-vous disponible ?
> – À 14 h, ce n'est pas possible.
> – Est-ce que vous pouvez venir à... ?
> – Oui, je suis libre.
> – Je note un rendez-vous, jeudi à 15h.

Index

– Je voudrais des pommes / du persil s'il vous plaît.
– Je voudrais… un peu plus de persil. / des carottes / plus de carottes / moins de carottes
– Pour acheter…
– du pain, je vais à la boulangerie.
– de la viande, je vais à la boucherie.
– du fromage, je vais à la fromagerie.
– Combien coûte un poulet ?
– Les poulets coûtent 13 €.
– Combien ça coûte ?
– Le gruyère coûte 17 € le kilo.
– Je vais prendre…
– Voici votre monnaie.

– Vous pouvez venir avec vos amis.
– Venez avec vos amis.
– Tu peux venir… → Viens…
– Tu peux rester dormir à la maison.
– Reste dormir à la maison.
– Vous pouvez amener quelqu'un.

– J'accepte avec plaisir. Je viens à ta petite fête bien sûr !
– Je pense arriver vers…
– À samedi / À ce soir / À bientôt !
– Je suis désolé, je ne peux pas venir. Je ne suis pas libre.
– Quel dommage ! Je ne suis pas là ce week-end.

Crédit photos

FOTOLIA – de gauche à droite et de haut en bas
p. 8 © edbockstock ; © Durluby ; © justinkendra ; © anyaberkut ; © Durluby ; © anyaberkut
– **p. 9** © Maridav ; © auremar ; © apops ; © Kalim – **p. 10** © Robert Kneschke ; © dip – **p. 12**
© pressmaster ; © Brad Pict – **p. 13** © Robert Kneschke ; © Dron ; © Andres Rodriguez ;
© Valua Vitaly – **p.14** © Marco Wydmuch ; © fotoember ; © mat75002 ; © boulevard ;
© CHG – **p. 15** © Alexander Raths ; © bst2012 – **p. 16** © Unclesam ; © Igor Mojzes ;
© Christophe MATHIS – **p.18 (photo 1)** © daboost ; **(photo 4)** © DreanA ; **(photo 5)**
© spotmatikphoto ; **(photo 8)** © BEMPhoto ; **(drapeaux)** © daboost ; © Y. L. Photographies ;
© daboost ; © daboost ; © BEMPhoto- ; © daboost – **p. 19** © daboost ; © daboost ; © irina,
© mozZz ; © daboost ; © BEMPhoto – **p. 20** © WavebreakMediaMicro ; © stockyimages
– **p.21** © Kzenon ; © mh-werbedesign ; p. © Andres Rodriguez ; © sumnersgraphicsinc ;
© goodluz – **p. 22** © wellphoto ; © snaptitude ; © milanmarkovic78 ; © anyaberkut ;
© janista – **p. 23** © Kzenon ; © Andres Rodriguez ; © WavebreakMediaMicro ; © Minerva
Studio ; © mh-werbedesign ; © Nejron Photo – **p. 24 (photo 3)** © contrastwerkstatt – **p. 25**
© goodluz ; © contrastwerkstatt ; © goodluz ; © Karin & Uwe Annas ; © JPC-PROD –
p. 27 © spotmatikphoto – **p. 28** © contrastwerkstatt ; © rabbit75_fot – **p. 30** © AMATHIEU
– **p. 31** © dietwalther – **p. 32 (en ht.)** © kasto ; **(en bas)** © eyetronic – **p. 33** © Pekchar
– **p. 34 (photo 2)** © Elnur – **p. 35** © kasto ; © Minerva Studio ; © goodluz ; © FPWing ;
© Rido ; © JackF ; © kantver **p. 36** © Rido ; © Minerva Studio ; © goodluz ; © Monkey
Business – **p. 37** © olesiabilkei ; © Sergey Nivens ; © nenetus ; © Alexander Raths ;
© WavebreakMediaMicro – **p. 38** © Deklofenak ; © AntonioDiaz ; © Gelpi ; © Kzenon
– **p. 39 (photo 2)** © Monkey Business ; © Petro Feketa – **p 40** © Y. L. Photographies ;
© daboost ; © BEMPhoto ; © daboost – **p. 41** © contrastwerkstatt ; © Kostia ; © drubig-
photo ; © Edyta Pawlowska ; © alphabetMN – **p. 42** © matteo Natale ; © BrunoH ;
© teracreonte ; © Marc Rigaud – **p.44 (en bas)** © Bastian Linder – **p. 45** © Jean752 ; © Onidji ;
© Carson Liu ; © eyetronic ; © aarochas – **p. 46** © pink candy ; © Friedberg – Fotolia.com
– **p. 47** © Cardaf ; © ArTo ; © jorisvo ; © PackShot ; © goodluz ; © Peter Hermes Furian ;
© M. studio – **p. 48** © Cardaf ; © Valerie Potapova – **p. 50 (en bas)** © Artalis ; © tuulimaa
– **p. 51** © olly ; © macrovector ; © olly – **p.52** © odriozola ; © FOOD-pictures ; © marlyne
– **p. 53** © mimon ; © stokkete ; © pink candy ; © nico75 – **p. 54 (photo 2)** © Mihai-Bogdan
Lazar ; **(photo 3)** © Franck Sanse – **p. 56** © Minerva Studio ; caféteria © davis ; © Tyler
Olson ; © galam – **p. 58** © Pat on stock ; © Julien Boyer-Malzac ; © sigurcamp ; © Alexey
Smirnov – **p. 61** © Oleksiy Mark ; © ikonoklast_hh ; © Banana Republic ; © PackShot – **p. 62**
© Anna Khomulo ; © olesiabilkei – **p.64** © olly ; © fym1321 ; **(femme à vélo)** © Ljupco
Smokovski ; © Sailorr ; © Halfpoint ; © filtv – **p.66** © Cyril Comtat ; © illustrez-vous ;
© sattriani ; © Jackin – **p. 67** © Cyril Comtat ; © illustrez-vous © absolutimages ; © anilah
– **p. 68** © detailblick ; © djama ; © Friedberg – **p. 70** © stockyimages ; © Photographee.eu ;
© virtua73 ; © graphlight – **p. 72** © Pixel & Création ; © Vincent Bouchet ; © Vladimir Liverts ;
© Ekaterina Pokrovsky – **p. 75** © Minerva Studio ; © peerayot ; © ekostsov ; © jovannig ;
© Vincent Bouchet ; © Eléonore H ; © Jürgen Fälchle – **p. 76** © vidoque_stock ; © pixarno ;
© Syda Productions ; © Jeanette Dietl ; © wrongorright ; – **p. 77** © jasckal ; © Coka ; © Viorel
Sima ; © Porechenskaya ; © Foxy_A ; © T.Tulik ; © T.Tulik ; © Viorel Sima ; © photographmd
– **p.78** © JackF – **p. 80** © T.Tulik – **p. 81** © goodluz ; © Africa Studio ; © Valua Vitaly ; © goodluz
– **p.82** © djile ; © nenetus ; © goodluz ; © Smileus ; © drubig – **p. 83** © Rui Vale de Sousa,
© Petair ; © feelphotoartz ; © lucadp – **p. 84** © CandyBox Images ; © B. and E. Dudzinscy ;

Imprimé en Italie par Stige en février 2017
N° de projet : 10233066
Dépôt légal : septembre 2014